당신의 백성이 나의 백성이 되고

Jonathan Kim
Jan '04

from
KiBi

Your People Shall Be My People

당신의 백성이
나의 백성이 되고

돈 핀토 지음 | 유지연 옮김

횃셔 · 인싸이트하우스

당신의 백성이 나의 백성이 되고

지은이 돈 핀토

옮긴이 유지연

초판 1쇄 인쇄 2007년 4월 21일

초판 1쇄 발행 2007년 5월 1일

펴낸이 유지연

펴낸곳 휫셔북스/인싸이트 하우스

등록번호 제3-806호(1997. 3. 24.)

　　　　　140-170 서울시 용산구 동자동 5-1 성사빌딩

　　　　　T. 02)774-1716, 1718 F. 02)774-1719

　　　　　E-mail : Webmaster@fisherM.com

　　　　　Homepage : www.fisherM.com

총판 예영커뮤니케이션

T. 02)766-7912, F. 02)766-8934

ISBN 978-89-86326-08-6

값 9,500원

돈 핀토 목사는 자신에게 맡겨져 온 일들을 지혜롭게 지켜보는 한 성실한 분으로 알고 있다. 한 사람의 이방인으로서 그의 마음은 유대 민족을 향해 왔으며, 여기 크리스천 신앙의 주류로서 우리에게 그 열정을 나누고 있다. 「당신의 백성이 나의 백성이 되고」는 그와 그의 열정의 깊이를 모두 보여 주는 탁월한 소개서다. 성서와 역사적 사실들로부터의 이끌어낸 이 논리 정연하고 교훈적인 작업은, 하나님의 계획 안에서 이스라엘과 유대 백성들의 역할에 대한 더 나은 이해를 우리에게 주고 있다.

토미 테니(Tommy Tenney)
저서: 「하나님 당신을 갈망합니다」(The God Chaser), 「다윗의 장막」
파인 빌, 루이지애나

이 책은 하나님의 목적들이 그분의 본래 언약의 백성들에게 돌이킬 수 없도록 깊이 엮여 있다는 명백한 성서적 증거를 제시해 준다. 돈 핀토 목사는 생생한 그리고 도전적인 통찰과 함께 글을 썼다.

마이크 비클(Mike Bickle)
IHOP(International House Of Prayer) 사역대표, 캔자스시티, 미주리

「당신의 백성이 나의 백성이 되고」는 폭발할 듯이 함축된 스토리이며 모든 것을 바꾸어 놓을 수 있는 하나의 가르침이다. 나는 이것이 하나님이 펼쳐 보이신 대로 유대 민족과 우리 이방인 교회의 실제적인 역사라고 믿고 있다. 이러한 정보와 지식 없이는, 국제적인 크리스천 지도자들은 우리를 하나님이 의도하시는 미래 안으로 인도할 수 없을 것이다.

존 도우슨(John Dawson)
International Reconciliation Coalition 설립자, 벤추라 캘리포니아

5

우리에게 최상의 의미와 정보와 지식을 주는 이 예언적 책을 내놓기 위해서 큰 대가를 치른 나의 친구 돈 핀토 목사에게 깊이 감사한다. 이것은 하나님의 생각과 마음으로부터의 메시지이다. 유대인들과 이방인들이 이러한 능력의 진리들을 똑같이 포용할 때, 하나님 나라의 확장과 진보는 필연적이 될 것이다.

조이 도우슨(Joy Dawson)
작가, 성경교사. 「하나님의 음성을 듣는 삶」 「하나님을 경외하는 마음」
International Bible Teacher and Author, Tujunga,
캘리포니아

이스라엘을 향한 하나님의 계획을 둘러싼 논쟁, 돈 핀토 목사는 그 거룩한 땅을 향한 하나님의 마음을 성서적이고 흥분될 만한 시각으로 서술한다. 그렇게 함으로 우리의 유대인 친구들을 그리스도께 인도하기 위한 가치 있고 영감 있는 자원들을 우리에게 주고 있다.

프랜시스 프랜지팬(Francis Frangipane)
목사, River of Life Ministries, Cedar Rapids, 아이오와

유대 민족을 향한 하나님의 마음을 받지 않고는, 바로 이같이 때에 맞춰 참으로 삶을 변화시켜 줄 책을 읽을 수 없을 것이다. 모든 믿는 자들은 이 책 「당신의 백성이 나의 백성이 되고」를 반드시 읽을 필요가 있다.

신디 제이콥스(Cindy Jacobs)
General of Intercession 공동설립자: 중보와 예언자
콜로라도 스프링스, 콜로라도

이야말로 이스라엘, 유대 백성들 그리고 이방인 교회를 주제로 쓰인 최고의 관계-개선의 책이다! 나의 친구 돈 핀토 목사와 여정을 떠나, 우리도 또한 유대 백성들 안에 두신 그분의 목적들과 하나님의 마음을 어떻게 받을 수 있을

지 배우도록 하자.

짐 골(Jim W. Goll)
Ministry to the Nations 공동설립자
저서: 「Exodus Cry and Kneeling on the Promise」, 안디옥, 테네시

신뢰로 입증되어 온 돈 핀토 목사의 리더십 역할이 지혜에 이르는 길과 종 된 마음으로 인도한다. 그의 새로운 책을 발견한 것이 내게는 큰 기쁨이다!

잭 헤이포드(Jack Hayford)
The King's college and seminary 학장
목사 : The Church on The Way, 밴 너이스, 캘리포니아

여기 훌륭한 신학과 함께 열정의 책이 있다. 돈 핀토 목사는 이스라엘의 구원을 위한 하나의 주요 병기가 되는 것을 포함해, 이방인 교회의 운명의 성취를 위해 열정적이다. 나는 이 책의 광범위한 전파를 통해서 얻게 될 위대한 왕국을 보기를 고대한다.

대니얼 주스터(Daniel C. Juster)
Tikkun International 대표, 게이더스버그, 메릴랜드

교회는 이스라엘, 예언서 그리고 마지막 때에 관한 많은 책들을 가지고 있다. 그러나 이 책처럼 그러한 변화의 틀 안에서 우리를 하나님의 마음과 연결시켜 주는 책은 드물다. 「당신의 백성이 나의 백성이 되고」는 그분의 택하신 백성들을 사랑함으로 인해 하나님을 사랑하도록 부르시는 실제적 믿음의 거래다.

스티븐 맨스필드(Stephen Mansfield)
목사: Belmont Church, 내시빌, 테네시

유대인과 이방인 사이의 칸막이벽이 허물어질 때까지, 이방인 교회는 성서에

약속된 연합과 영광을 성취하지 못할 것이다. 돈 핀토 목사의 가르침은 "한 새 사람"의— 메시아 안에서 하나 된 유대인과 이방인— 출현에 이르는 기초다. 이 책은 이다음 지구상에 하나님의 영의 가장 위대한 마지막 이동을 이해하게 해 줄 크리스천들의 사명적 읽을거리이다.

시드 로스(Sid Roth)
President, Messianic Vision
브런즈위크, 조지아

룻의 영 안에서, 돈 핀토 목사는 나오미를 향한— 유대 민족이 거부했지만 그럼에도 영원한 목적들을 위해 운명 지어진— 하나님의 열정을 표현했다. 겸손 그리고 사랑의 동일성 안에서, 돈 핀토 목사는 주님의 테이블을 둘러싼 우리의 사랑하는 비유대인 형제들을 향한 메시아닉 유대인들의 마음을 표현했다. 드라마틱하게, 이스라엘이 망명으로부터 돌아온다. 예언적으로 이것은 우리의 메시아, 예수아(예수)의 회복이 오는 신호다. 이제는 룻기 안에서 예언된 유대인-이방인의 동반 관계가 성취될 때다. 「당신의 백성이 나의 백성이 되고」는 이스라엘의 마지막 구속에 참여하기 위한 당신의 관문이 될 것이다.

에이탄 쉬스코프(Eitan Shishkoff)
창립이사, Tent of Mercy Kiryat Yam, 이스라엘

차 례

추천의 글 / 5
머리글– 마이클 W. & 데비 스미스 / 11
감사의 글 / 13
서론 / 17

제1장 끝의 시작 • 25

제2장 "넘치는 부요함" 세상의 부흥 • 45

제3장 이스라엘– 제사장의 나라 • 59

제4장 멸종의 표적이 된 • 77

제5장 초기의 유대인 "교회" • 93

제6장 교회의 "이방인화" • 107

제7장 분열– 이방인 교회의 DNA • 121

제8장 조국으로의 귀환 • 133

제9장 각성 • 153

제10장 부활한 "나사렛 사람들" • 171

제11장 유대인과 이방인 – "한 새사람" • 193

제12장 기도할 때 • 209

제13장 마지막 출애굽 • 217

제14장 복의 근원이 되기 위해 축복받은 • 227

부록 A Toward Jerusalem council II • 243

부록 B 추천하는 도서 • 249

부록 C 메시아닉 유대인 운동들과 회중교회들 • 257

부록 D 유대 백성들을 위한 회개의 성명서 • 261

머리글

   하나님은 우리의 삶 속에 우리를 격려하고, 꾸짖고, 지도하
고, 가르치고 그리고 무엇보다 우리를 사랑하고 우리가 잘 되
기를 바라는 몇몇의 사람들을 보내주셨다! 돈 핀토 목사님은
우리 명단의 정상에 계신 분이다.
   이분은 우리 부부를 결혼하게 해주시고 아이들을 가지도록
기도해 주셨을 뿐만 아니라 두 번씩 우리를 이스라엘로 인도하
여 그 열정을 나누어 주셨다. 목사님은 말씀에 열정이 있으시
며 하나님의 백성들, 유대인과 이방인 모두를 위한 열정이 넘

치시는 분이다. 우리는 전심으로 이분의 비전과 이 새로운 책을 추천한다!

하나님의 섭리 안에서 진행되고 있는 이스라엘의 역할에 관한, 믿는 자들의 눈에서 껍질이 제거되는데 이 책이 주님에 의해 사용되기를 기도한다. 하나님은 목사님의 가르침을 통해서 우리의 눈을 열어 주셨으며, 이제 예루살렘의 평화를 위한 새로운 비전으로 기도한다. 이 책을 읽은 후 당신도 또한 그러하리라고 확신한다.

마이클 W. & 데비 스미스(Michael W. & Debbie Smith)
CCM 아티스트, 워십리더
내시빌 테네시

감사의 글

나의 삶은 메시아닉 유대인 형제자매들을 통해서 매우 풍성
해왔습니다. 내가 유대인 신자들에 대해 알아가고 있을 때, 망
설이는 이 이방인의 마음을 포용해 준 에이탄 쉬스코프에게 감
사합니다. 존 도우슨 그리고 댄 주스터, 유대인들에게 지은 죄
를 회개하는 교회소집에 함께 참여하면서 'the Toward
Jerusalem Council II' 의 운영위원회에 합류해 달라는 두 분
의 초청에 내가 얼마나 감사하는지 모를 것입니다. 마티 왈드
맨, 이반 토마스, 데이비드 체르노프, 밥 코헨, 데이비드 루돌

13

프 그리고 아이란 자미르(이미 우리의 왕을 만나러 간 분), 나를 위원으로 환영해 주고 그간의 삼 년 동안 당신들의 삶을 나누어 준 것에 감사합니다.

데이비드 체르노프, 주님이 내 삶의 남은 부분들을 교회 안에 이해를 가져오는 데 헌신하도록 나의 마음을 넓히시고, 그리고 이제 유대인 형제자매들에게 그들 가문이 메시아의 믿음을 가져야 할 때임을 믿도록 계속 도전할 수 있던 것은 당신의 어머님의 책을 통해서였습니다. 영원히 감사합니다.

감사합니다. 댄, 데이비드, 에이탄 그리고 애셔 인트라터, 전 세계 다른 지역들뿐만 아니라 미국, 구 소련 그리고 이스라엘 안의 사역과 함께 사도적 메시아닉 유대인 지도회 티쿤(Tikkun)의 동일한 파트너로 나를 받아주셨습니다.

앤 세버런스, 당신이 없었다면 이 책은 결코 나오지 못했을 것입니다. 내가 편집을 위해서 기도할 때 계속 당신의 이름을 떠올린 것은 주님이셨습니다. 당신은 나를 믿고 격려하며 최선을 다하도록 이끌고 도전을 주어, 나를 마치 훌륭한 작가처럼 만들어 놓았습니다.

빌 그레이그 2세, 카일 던컨, 두 분이 내 마음의 열정을 들어주지 않았다면, 나의 이 첫 집필 시도는 결코 가스펠라이트/리갈(Gospel Light/Regal)의 작가로 환영 받지 못했을 것입니다. 사랑으로 신뢰해 준 것에 감사합니다. 그리고 칼 타렌트, 나를 점심식사에 초대해 준 당신의 이-메일로, 이전 우리 교회 성도였던 당신이 이제 가스펠라이트의 마케팅 담당자인 것을 알게 됐으며, 그것은 내게 놀라운 축복이었습니다. 나의 메시지를 인정해 주고, 당신과 함께 그것을 전파할 수 있는 길을 찾게 해 준 그 신뢰에 감사합니다.

내게는 많은 중보자들이 있습니다. 수개월간 기도해 오신 분들이 있었기에 내 마음의 메시지를 글로 옮길 수 있었습니다. 벳시 히덴은 내가 침체해 있던 것을 알고 반복해서 다른 분들께 기도하라고 전화했으며, 주님은 한결같이 더 큰 계시와 통찰을 주셨습니다. 주님께서 앤 벨, 바비 도일, 제시카 오스틴, 베벌리 보울웨어, 펫 기, 존 후커, 셜리 홀랜드 그리고 그 밖의 많은 분들과 함께 당신 벳시를 축복하시길 바랍니다.

스티븐 맨스필드 그리고 나의 벨몬트교회 식구들에게, 나는 여러분들의 격려, 여러분들의 사랑과 지속적인 지지에 영원히 감사할 것입니다.

수년 동안이나 세상처럼 크나 큰 마음을 가지고 나와 동일하게 이스라엘과 유대 백성들을 사랑해 온 나의 신실한 친구, 샌드라 엘킨스, 내가 이 책의 메시지와 꿈꾸고 있던 동안 내 생활을 정리해 주어서 고맙습니다.

여러분은 한 사람의 아내가 끊임없이 변하는 한 남자와 48년간 결혼생활을 해왔다는 것이 어떤 것인지 상상할 수 있습니까? 하나님은 당신 마서가 살아온 세월도, 그리고 여전히 나를 사랑하고 신뢰한다는 것도 알고 계십니다, 나의 열정이 원고로

15

옮겨지도록 날이면 날마다 밤이면 밤마다 내가 컴퓨터에 올라가 있게 허락해 준 당신 고마워요. 며칠을 잡아 우리가 삶을 함께 나눌만 한 해변가나 산으로 일정을 잡아봅시다.

내가 거의 집필을 마치자마자 당신들이 필요하다는 것을 알았지요. 데이비드 후퍼, 칼 킨바, 댄 주스터, 에이탄 쉬스코프 그리고 아브너 보스키, 내가 써온 글들을 읽고 그것이 정확한지 확인하기 위해서 말입니다. 당신들은 내가 보지 못했던 것들을 볼 수 있었고 온전한 프로젝트가 되도록 잘 다듬어 주었죠. 내가 내 능력 밖의 것들을 표현하게 해준 것 감사드립니다.

오 주님, 내게 이 시대 안에서 당신의 목적들의 일부를 볼 수 있게 허락하시고 교회가 이러한 계시를 포용하게 도전할 병기들의 하나가 되게 하신 것에 영원한 감사를 드립니다. 당신의 사역에 참가하는 자가 되는 것보다 더 큰 상급은 없습니다. 나를 계속 자라게 하시고 배우게 하시고 당신 앞에 겸손히 동행하게 하셔서, 그래서 지속적으로 당신의 영원한 계획 안에서 나를 사용하실 수 있도록 만드소서.

서 론

성서의 룻(Ruth) 이야기는 다윗 왕의 증조모의 아름다운 사
랑 이야기 그 이상의 것이다. 룻은 이스라엘의 하나님을 통해
서 믿음을 갖게 된 모든 이방인들의 상징이다. 그녀의 유대인
시어머니에게 한 이 모압 여인의 말 "당신의 백성이 나의 백성
이 되고 당신의 하나님이 나의 하나님이 되시리니"는, 그들의
혈통을 통해서 오시도록 보아스와 룻에게 약속된 자손 메시아
를 믿는 모든 비유대인들의 마음속에 여전히 울리고 있다. 그
이름 안에서 모든 이방인 신자들이 기근의 땅으로부터 풍요한

영적 영역으로 들어온 것이다.

　생명의 떡으로 자신을 언급하신 예수님조차도- 베들레헴("떡집") 바로 외곽, 룻이 이삭을 줍고 있었던 그 들판 가까이에서 태어나셨다는 사실은 말할 것도 없이- 이 오래 된 사랑 이야기를 경청하셨다.

　그러나 우리 이방인 **교회**는 룻이 그녀의 유대인 남편 보아스에게 반응한 것처럼 그렇게 반응하지 않았다. **교회**는 보아스의 가문 안에 들어왔을 때 자기의 모압 방식들을 뒤에 남겨 두고 오지 않았다. 비록 **교회**가 우리에게 예수님으로 상징된 보아스의 "떡"을 취했을지는 모르지만, 그분의 모든 가족들, 그 유대 백성들에게는 등을 돌렸다.

　이것이 내가 글을 써야만 하는 이유이다. 이것이 이미 쓰여 왔던 그러한 내막들 위에 내가 또 하나의 이스라엘 책을 더해야 하는 이유이다. 나의 서가에는 이 조그만 나라, 그들의 추방과 이산으로부터의 귀환, 국가 재건, 히브리어의 부활, 그리고 이 모두가 마지막 때의 예언과 어떻게 관련돼 있는가에 대한 많은 서적들이 일렬로 정리되어 있다. 증가하는 메시아닉 유대인 인구에 관해 쓰인 많은 책들 또한 갖고 있다. 도대체 여기에다 무엇을 더한단 말인가?

　내가 쓰고 있는 것들의 어떤 부분은 새 것이 아니다. 아마 다른 관점에서 쓰였지만 그래도 새 것은 아니다. 이스라엘의 조국으로의 귀환이 예언의 성취라는 것 그리고 그것이 이 땅에 주님의 귀환의 임박함의 신호라는 것은 기독교계에선 공통된 테마이다. 그렇다 해도 이 분야에서 폭넓게 책을 읽어 온 이들은 이 책에 또 이끌릴 것이다.

또 다른 이들에게 이 정보들은 새로운 계시가 될지도 모른다. 최근에 나는 한 목사를 방문했다. 그는 열정적으로 주님을 추구하고 그분의 말씀을 알려는 소원이 있으면서도 이스라엘을 향한 하나님의 목적에 대해선 아무것도 모르고 있었다. 오직 이미 성취되어 온 것들만을 말할 뿐 그에게 예언서는 닫혀진 책이 되어 버렸다. 최근까지도 그 친구는 아직 발생하지 않은 사건들을 찾아보기 위해 예언서를 읽는다는 것은 전혀 생각해 보지 않았다.

그는 초기에 내가 그랬듯이, 명백히 이스라엘의 미래에 관한 말씀들을 뽑아서 그것들을 교회에 적용하거나, 또는 이 예언적 보물의 값진 보고들을 이미 성취된 역사의 쓰레기통처럼 여겨 왔다. 우리의 대화 후 이 젊은 목사는 성서적 예언의 새로운 독서를 시작할 것이다. 그는 자신이 놓쳐 왔던 것을 알기 원했다! 내가 이 책을 쓴 것은 그러한 사람들을 위함이다.

또 다른 친구 목사는 좀처럼 그것을 읽으려 하지 않는다. 그는 내게 써 준 대로 "나사렛 예수는 구약의 성취였고, 하나님의 예비하신 백성 이스라엘 자녀들의 끝"이라고 이미 마음을 고정시켜 놓았다. 그는 "메시아닉 유대인 공동체로서 그와 같은 일은 없으며" 그리고 "하나님 나라는 혈통에 의한 후손, 그 변절한 백성들을 통해서 성취되지 않고, 그 대신 오직 믿음을 통한 씨들에 의해서"라고 믿고 있다. 나는 그 친구를 사랑한다. 그리고 그 또한 구약과 신약 모두에서 그 예언의 말씀들을 다시 읽게 되어, 내가 보고 있는 것들에 관해 하나님이 그의 눈을 열어주시도록 기도한다.

여러분들이 여기 읽게 될 내용 중에는 다른 이들에 의해서 발표된 것들도 있다. 하지만 그 책들은 널리 배포되지 못했다. 나는 열방에 대한 이스라엘의 제사장직 역할에 대해서 배우는 가운데, 초대 "교회"의 유대인식(Jewishness), 그리고 교회의 "이방화"(gentilizing)에 따른 우리의 역사 전반에 걸쳐, 유대 민족을 향한 기존 **교회**의 미움들, 그러한 자료들에 크게 이끌렸다.

여러분들은 새로운 내용들도 보게 될 것이다. 나는 글 쓰는 동안에도 주님께서 계시의 순간들을 계속 주셨다고 믿는다. 수년간 나는 메시아닉 유대인 믿음 공동체의 증가와 현재 세상의 부흥간의 관계에 마음을 빼앗겨 왔다. 비록 400년 전 우리 크리스천 지도자들 소수가 유대 민족의 조국 귀환과 그들의 영적 각성이 세상의 위대한 부흥과 동반하여 일치하게 될 것을 언급하기 시작했지만, 어떤 이들도 이러한 대조를 해 오지 않았다.

메시아닉 운동에서의 나의 체험은, 많은 크리스천 목사들 안에서 발견하지 못한 하나의 자각으로, 내게 유대인의 마음에 대한 매우 선명한 이해를 가져왔다. 나는 우리 유대인 형제자매들이 유대인으로서 받아들여져, 유대인식 구조 안에서 그들

의 믿음을 표현하도록 격려 받는 것을 보려는 열정이 있다. 나
는 이방인 교회가 자신들의 유대인식 주춧돌을 인정하는 것을
보고 싶다. 나는 **교회**가, 왜 이스라엘과 유대민족이 또 다시 세
계 역사의 중앙 무대에 서 있는 지를 깨닫기 원하며, 메시아의
몸 안에서 귀환하는 유대인 지도자들로 인해 감사할 수 있기를
바란다.

　우리가 살고 있는 예언적 시대를 **교회**가 이해할 때, 하나님
과 함께 그 성취를 준비하는 더 나은 동반자가 될 것이다. 우리
는 수세기 동안 유대 민족을 핍박해 온 것에 **교회**를 대신해서
그리고 개인적으로 고백할 것이며, 유대인들을 축복할 모든 기
회들마다 그들을 대신해 열렬한 중보자가 될 것이다.

　나는 다윗 왕의 비유대인 증조모였던 룻 안에서 전조가 된,
열방의 믿는 자들을 보게 되었다. 그녀는 비록 유다의 씨로부
터 오지 않았지만, 이스라엘의 상속 안으로 온전히 들어왔다.
하지만 **교회**와는 다르게, 룻은 그녀의 이방 방식들을 함께 가
져오지 않았다. 그녀는 자신의 방식들을 내려놓고, 처음에는
나오미와 그리고 후에 보아스와 언약을 맺었다. 그녀는 나오미
와 함께 살고 죽기로 헌신했다. 나는 이것이 하나님의 언약의
가족들과 함께 그들의 약속 안에 들어와 있는 우리 이방인 교
회의 위치가 되어야 한다고 믿는다.

　이 책이 유대인 뿌리에 대한 배경을 더 정확하게 하기 위해

서, 나는 유대인과 이방인 양쪽 모두에게 의미 있는 용어들을 사용하기로 했다. 예를 들어 유대인 신자들의 회중모임(성회)에 관련해서는 "교회"(church)라는 단어를 사용하지 않을 것이다. 유대인들의 예배와 집회들은 더 자주 "회중교회"(congregation)라는 단어[그리스어 ekklesia와 동일한 좋은 번역이며 문자적으로 부름-받은 사람들]를 사용할 것이다. 이 책에서 그 의미가 전체적으로 이방인 교회를 말할 때, 알파벳 대문자 "Church"(교회:굵은체)를 보게 될 것이다.

대부분의 경우 나는 그리스도보다는 오히려 메시아를 언급할 것이다. 그리스어보다 히브리어의 번역을 선택했기 때문이다. 그들을 대항해서 행해진 많은 잔혹행위들이 바로 그 이름 안에서 저질러졌기 때문에 많은 유대 백성들에게 "그리스도"는 증오의 단어가 되어 버렸다.

개인적으로 나는 예수님의 히브리 이름 예수아를 사용하는 것을 좋아한다. 그분의 유대인 어머니 미리암(마리아)이 그분을 불렀던 이름이었을 것이기 때문이다. 아마도 이 용어가 많은 독자들에게 낯설 것으로 알고 있기에, 이 두 이름을 거의 번갈아 교체해 가며 사용했다.

때때로 글에서 나도 유대인(Jews)을 인용하지만, 이 이름조차도- 이스라엘의 남 왕국의 유력한 부족이며 예수님 자신의 부족 유다에서 파생된 -유대인(Jewish)들에게는 부정적인 의미가 함축되어 왔다. 나는 유대인들이 자신을 소개하면서 "I am a Jewish."라고 말하지 않고, "I am a Jew."라는 단어를 쓰는 것을 이제껏 들어본 적이 없다. 그러므로 이 책에서 나는 하나님의 언약의 백성, 이스라엘의 아들들, 유대인(Jewish)을 말하겠다. 나는 이 유대인들을 사랑하며, 우리 주님의 가장 가까운 곳에서 핍박을 받아 온 가문에게 더 잘 받아들여지기 위해 필요한 무슨 말이라도 할 것이다.

　이러한 것들이 나의 마음을 나누도록 내게 동기가 되어 온 생각들이다. 나는 내 자신을 작가라고 생각해 본 적도 전혀 없지만, 그럼에도 아직 쓰이지 않았거나 널리 전해지지 않았던 사실들을 보고 있다고 믿는다. 나는 여러분들이 기도하는 마음으로 이 책을 읽고 누가가 사도행전 17장 11절에서 언급한 베뢰아 사람들처럼, 이 글들이 옳은지 보기 위해 말씀을 탐구하기 바란다. 우리의 비유대인 언약의 동반자 룻이 자신의 유대인 시어머니에게 말한 것을 들어보라: "어머니께서 가시는 곳에 나도 가고 어머니께서 유숙하시는 곳에서 나도 유숙하겠나이다: 어머니의 백성이 나의 백성이 되고 어머니의 하나님이 나의 하나님이 되시리니."(룻 1:16)

　이것이 우리가 유대 백성들과 맺어야 하는 언약의 맹세가 될 수 있을까? 당신이 만일 공감한다면, 삶은 결코 이전과 같지 않을 것이다! 당신이 아버지의 보좌 앞에서 그들의 상황을 열렬히 간구하면서 이스라엘과 이스라엘 자녀들의 열정적인 옹호자가 될 수 있기를 바란다.

제1장

끝의 시작

이런 일이 되기를 시작하거든 일어나 머리를 들라
너희 구속이 가까웠느니라 하시더라.
누가복음 21:28

하나님이 아브라함에게 약속하셨다 "내가 너로 큰 민족을
이루고 네게 복을 주어 네 이름을 창대케 하리니 너는 복의 근
원이 될지라 너를 축복하는 자에게는 내가 복을 내리고 너를
저주하는 자에게는 내가 저주하리니 땅의 모든 족속이 너를 인

하여 복을 얻을 것이니라."(창 12:2,3). 만일 이 고대의 약속이 아직도 사실이고, 그리고 사실이라면, 어떤 개인도 어떤 회중들도, 어느 국가나 민족들도, 그들이 유대 민족을 사랑할 수 있게 되기까지 그들의 넘쳐나는 축복을 받지 못할 것이다.

나는 이 진리에 대해서 항상 그렇게 열정이 있어 왔던 것은 아니다. 이제 내가 왜 이 일들을 예언 성취의 때라고 믿으며, 내가 어떻게 메시아닉 유대인 공동체에 연관되어 이 언약의 백성들을 사랑하게 되었는지 말하도록 하겠다.

50년대 초 아내 마서(Martha)와 나는 대학을 갓 졸업한 신혼부부로 전후의 독일에서 사역하고 있었다. 슬프게도 그 나라는 둘로 갈라져 가정과 이웃들은 정서적, 물리적으로 황폐해져 있었다. 우리는 젊었고 이상주의적이었으며 지쳐 힘들어하는 그들을 하나님께 인도하는 일에 한 부분이 되기를 원했다.

크리스천 칼리지의 성서 전공 학생으로서 나는 내가 믿는 것에 확신을 가지고 졸업했다. 나는 말씀의 어떤 구절들은 그냥 넘어가고 어떤 구절들은 해석해 가면서, 일종의 성경 읽는 법을 알고 있었다. 그래서 그들은 항상 내가 배워 왔던 대로만 말할 뿐이었다.

그때 카드 한 장이 날라 왔다. 나는 그것을 마치 어제 일처럼 기억한다. 나는 그 카드가 싫었다! 나를 당황하게 했고 내게 도전했으며 날 난처하게 만들었기 때문이다. 나는 그 카드를 보낸 함부르크대학의 신입생 청년을 건방지다고 생각했다. 나는 아무에게도, 아내 마서에게 조차도 그 카드를 보여 주지 않은 채 즉시 그것을 찢어 거의 조각을 내서 버렸다.

그런데도 나는 그것을 잊을 수가 없었고 아직도 그 한 마디 한 마디를 기억할 수 있다: "Lieber Don Finto, liest Du die Bibel, um zu sehen, was die Bibel sagt, oder liest Du sie nur, um eine Predigt vorzubereiten?" "존경하는 돈 핀토 교수님, 교수님은 그 말씀이 뜻하는 바를 정확히 알기 위해 성경을 읽어오셨나요, 아니면 단지 설교 준비 때문에 읽으십니까?" 카드에는 헬무트(helmut)라고 서명이 되어 있었다.

나는 성경을 규칙적으로 읽어왔지만 그 견해들이 성서적으로 정확한지를 알려고 연구하기보다는 오히려 이미 고수하고 있는 지식들을 방어하려고 성경을 공부했다는 것을 내 심중에 잘 알고 있었다. 내가 모든 쟁점들마다 정말 하나님의 마음을 알기 원했던가? 그것이 나와 가장 가까운 이들과의 사이를 소원하게 만드는 것이라 해도 기꺼이 나의 신념을 바꾸려고 했을까? 나는 그 다른 쪽을 원했었다. 그 다음 몇 년 동안 헬무트의 카드는 내게 책임의식을 갖게 했고, 주님께 통찰을 구하기 위한 하나의 지속적인 교훈이 됐다.

독일에서의 8년이 지난 후, 아내와 나는 미국으로 돌아와 크리스천 칼리지에서 독일어와 성경과목들을 가르치기 시작했다. 카리스마 운동(Charismatic Movement)이 온 나라를 휩쓸면서 많은 이들이 오랫동안 붙들고 있던 믿음을 다시 생각하는 계기가 됐다. 이것은 또한 60년대 말과 70년대 초 예수운동

(Jesus Movement)의 결과를 낳았던 히피 문화의 시작이었다. 나는 그 새로운 운동의 한 부분이 되는 것엔 별로 흥미가 없었지만, 하나님을 알고 예수님을 알고 성령을 알고자 하는 갈망이 내 안에 자라나고 있었다. 성경 지식은 좀 있었을지 모르지만, 그 책의 저자이신 하나님은 친밀하게 알지 못했다.

헬무트의 카드를 받은 지 거의 20년, 나는 내시빌의 대학에서 강의하면서 그 지역의 한 회중모임에서 말씀을 가르치고 있었다. 어느 은퇴한 치과의사가 가끔 출석하고 있었다. 홀(Hall) 박사는 예언서를 공부하는 학생이었다. 그는 'New Covenant', 성서의 예언서뿐만 아니라 이사야서에서 말라기까지 성경의 예언자들을 깊이 파고들었다. 어느 날 예배 후 그는 내게 구약의 예언자들의 말을 깊이 다룬 적이 있었는지, 아니면 그들이 기록했던 모든 것들은 메시아의 첫 번째 오심으로 이미 성취된 것이라고 그저 단정해 버렸는지 물어 왔다.

번뜩이는 헬무트의 카드! 나는 오랫동안 성경을 읽어 왔지만 히브리 성서들을 오직 역사로만 읽어 왔다. 나는 일년마다 성경을 통독하면서 신약성경에 오면 마음이 항상 편해졌다. 그 고대의 예언자들은 너무 자주 모압과 바벨론, 에브라임과 에돔을 거론했고, 그런데다 그 글들의 아주 작은 부분만을 이해했던 나는 역사의 통찰이 예리한 학생도 아니었다. 예수님이 오실 것을 예견한 그런 경우의 아주 명백한 말씀들을 제외하고는 통독한답시고 그 예언서들을 거의 속독으로 읽어버렸다.

내가 이스라엘의 조국으로의 귀환에 대해서 무엇인가 찾아
낸 것이 있다면, 그것이 바벨론으로부터의 귀환을 말하고 있다
는 추측뿐이었다(아무튼 난 이 구절이 동쪽 〔바벨론〕에서뿐만
아니라 서쪽, 그리고 남과 북쪽- 열방으로부터의 귀환이라는
사실을 간과했다). 온 땅을 통치하시는 메시아를 말하는 구절
에서는 선지자들이 상징적으로 말하는 것이며 복음의 확장을
의미하는 것으로 간주했다. 이해하지 못하는 구절이 있으면 그
저 무시해 버리거나 영적인 의미로 해석했다. "이스라엘"은 우
리의 **교회**로, "이스라엘의 죄"는 **교회**의 죄로, "예루살렘"은
하늘의 한 형상이며 "시온"은 하나님의 백성들의 또 다른 이름
으로 해석했다.

　　홀 박사의 도전에 자극 받은 나는 예언서들을 다시 읽기 시
작했다. 결국 이 일은 해답보다는 더 많은 질문들을 낳게 했다.
나의 신학 속에는 이스라엘이 다시 모일만 한 공간이 없었다.
부분적이든 모두든, 유대 민족이 그들의 메시아를 인정하려 할
때가 있을 것이라는 생각은 해본 적도 없었고, 나는 예수가 이
땅에 결코 다시 돌아오지 않을 것으로 배웠기 때문에 정확히
스가랴가 본 것처럼 그 예언들이 문자적으로 성취되리라는 생
각은 전혀 없었다. "그날에 그의 발이 예루살렘 앞 곧 동편 감
람산에 서실 것이요, 감람산은 그 한가운데가 동서로 갈라져
매우 큰 골짜기가 되어서"(슥 14:4).

심한 논쟁

나는 딜레마에 빠졌다. 말씀 안에서 무엇이 문자적으로 취해져야 하고 무엇은 단지 상징에 불과한가? 나는 그 말씀이 상징일 뿐 틀렸다고 추정하는 것보다는 오히려 성경을 문자적으로 사실이라 받아들이고, 그 다음 그 추정 안에서 틀린 것을 입증하는 편이 낫겠다고 생각했다. 어느 날 주님을 만나 뵙고, 그런 의도로 말씀하셨는지 생각지 못했다고 시인해야 하는 것보다, "주님의 말씀대로 받아들였습니다."라고 말하는 쪽을 택했다.

그 구절 자체가 다른 의미를 제시한 것이 아니라면 문자 그대로 성서를 받아들이는 것이 최상이라고 생각했다. 예수님은 특별히 "하나님의 나라는 …와 같아서"라고 말씀하실 때가 있었다. 그것은 비유적 문구였다. 계시록에서조차도 요한은 하늘에 나타난 "징조"(sign)를 자주 말하며(12:1), 동시에 새 하늘과 새 땅 그리고 거룩한 성 예루살렘이 하나님께로부터 하늘에서 내려오는 것을 본다고 말했다(21:1,2).

예언서를 읽기 위한 이러한 문자적 접근은 유대인 상황에 대한 나의 이해를 바꿔 놓기 시작했다. 오랫동안 비유로만 해석하던 구절들을 이제는 좀 더 신중하게 분별해야 했다. 예를 들면 에스겔의 "마른 뼈들의 골짜기"(겔 37)는 단지 생기 없는 교회에 전하기 위한 좋은 설교 자료가 아니라, 선지자가 말한 대로 정확히 그것은 생명으로 다시 돌아오는 이스라엘의 그림이었다(37:12,13). 말씀을 실제 예언으로 수용하지 않고 비유적으로만 받아들이는 것은, 자신만의 견해에 들어맞게 왜곡함으로 하나님 말씀의 온전한 목적을 방해하게 된다.

일단 우리는 선지자 에스겔의 "이스라엘이 다시 살리라"는 문자적인 의미를 받아들이고 난 다음에, 그 구절을 다른 상황에 적용할 수 있다. 하나님의 말씀에 대한 이러한 식의 개방은 말씀을 살아 있게 해준다. 주님은 그분의 영을 통해서 문자적 의미와 영적인 적용 양쪽 모두에 상쾌한 계시를 계속적으로 주신다. 우리는 원래 그 백성들에게 선포된 그 의도된 의미들을 바로 인식할 때까지, 이스라엘에게 전해진 말씀들을 취해다가 **교회**에 충당할 권리를 갖고 있지 않다. 그 약속들이 우리 이방인 교회에 속하는 경우라 해도, 우리는 오직 이스라엘의 뿌리에 접붙여졌기 때문에, 그들과 함께 그 약속들을 이스라엘에게 상속시켜야 한다.

사도 바울은 우리가 "그들 중에" 이스라엘 감람나무에 접붙임이 되어 "참 감람나무의 진액을 함께 받는 자"가 됐다고 말한다(롬 11:17). 우리는 원래 의도된 수취인을 대신하지 못한다. 구원의 약속이 "모든 아브라함의 자손들- 율법에 속한 자뿐만 아니라 아브라함의 믿음에 속한 자에게도" 이르렀다(롬 4:16). Not only, but also! 우리는 아브라함의 가족에 합류한 "오직 성도들과 동일한 시민"(엡 2:19)이다. 유대인의 메시아는 우리의 메시아가 되었으며 그분의 보혈 또한 우리를 구속했다. 우리는 그 약속들을 받음에 있어서 이스라엘과 나란히 나아가지만, 그러나 우리가 그들을 대신하지는 못한다!

　나는 예수님 시대의 대부분의 사람들과 다르지 않게 예언서의 의미를 분별하는데 어려움을 겪고 있었다. 구약의 두루마리를 지키는 자들도 그 의미들을 파악하지 못했고 메시아를 고대하고 있던 자들도 그분을 알아보지 못했다. 그들은 메시아라면 어떻게 하실 것이며, 어떤 모습일 것이라는 예상된 선입견에 너무 사로잡혔다. 그들 앞에 육신으로 서 계셨어도 그들의 눈은 닫혀 있었다. 나도 사실 그들과 다를 것이 없었다.

　성경은 충분할 만큼 선명했다. 미가 선지자는 베들레헴을 그분의 기원으로 불렀고(미 5:2), 갈릴리의 스불론 땅과 납달리 땅은 이사야 선지자에 의해서 "큰 빛을 보게 될 땅"으로 선정되었다(사 9:1,2). 스가랴 선지자는 예수님이 배신당하게 되는 그 돈의 대가를 알고 있었다(슥 11:12,13). 이사야는 예수님을 고통 받는 종으로 예고했고(사 53), 스가랴는 그분의 입성 때 나귀가 등장할 것까지도 기록했다(슥 9:9). 이러한 예견들이 오늘날 우리에게 수정처럼 투명하지만 그 당시의 종교 집단들은 그것을 완전히 놓치고 말았다.

　"너희들 말씀은 부지런히 공부하는데 그렇게 함으로 너희가 영생을 소유한다고 생각하기 때문이야" 그 당시 종교 지도자들에게 하신 말씀이다. "이 성경이 곧 내게 대하여 증거하는 것이로다"(요 5:39). 그분이 내포하신 것은 그들이 만일 자신들의 성경을 믿었다면 그분을 알아보았을 것이라는 의미다. 명백히 이러한 것이, 배우려고 하지는 않고 입증하려고만 말씀을 읽던 그 당시 성경 선생들의 모습이었다.

영으로부터 오는 계시

지적인 정직(intellectual honesty)만으로는 우리가 하나님 알기를 구할 때 충분치 않다. 우리의 눈이 열리고 우리의 마음이 감지하도록 기도해야 하며 통찰과 계시를 사모해야만 한다. 그분은 마음에 말씀하실 뿐만 아니라 또한 그분 자신을 영에 계시하신다. 그리고 그 계시는 그분의 시간대에 온다. 우리는 기꺼이 구해야 하지만 계시하는 자는 그분이다. 우리가 말씀을 읽고 다시 읽을지라도, 우리의 마음과 영적인 눈이 열리지 않는다면 진리를 놓치게 된다.

클레오파스와 그의 친구는 부활의 아침 엠마오로 가는 길에 문제가 있었다. 그들은 예수님의 얼굴을 보고는 있었지만 그분을 알아보지 못했다(눅 24:16). 그들 눈에서 덮개가 벗겨지고 나서야 비로소 자기들과 얘기하던 분이 누군지 알게 됐다. 우리 덮개도 벗겨져야 한다!

루디아도 빌립보 바로 외곽의 강기슭 기도 모임에서 비슷한 체험을 했다. 바울이 말하기 시작할 때 "주께서 그 마음을 열어 바울의 말을 청종하게 하신지라"(행 16:14). 루디아는 기꺼이 청종하려고 했지만 그러한 마음의 열림이 없었다면 말씀을 받아들일 수 없었을 것이다.

왜 바울이 에베소 사람들에게 "너희 마음 눈을 밝히사"(엡 1:18), "우리 주 예수 그리스도의 하나님 영광의 아버지께서 지혜와 계시의 정신을 너희에게 주사 하나님을 더욱 알게 하시고"(1:17)라고 외쳤는지 이해하는가?

하나님은 특수 언어로 말씀하지 않는다. 그분은 그분의 영을 통해서 우리의 영 안에 말씀하신다. 계시는 마음의 생각보다 더 깊이 나아가 우리의 전 인격— 생각, 마음, 의도, 열정들에 영향을 끼친다. 이것이 바울이 로마인들에게 그같이 말했던 이유다, 하나님께서 예수를 죽은 자 가운데서 살리신 것을 "네 마음에 믿으면" 구원을 얻으리라(10:9), "사람이 마음으로 믿어 의에 이르고 입으로 시인하여 구원에 이르느니라"(10:10).

누가복음 21장 그리고 오늘날 하나님의 움직임

나에게 이스라엘을 향한 하나님의 마음을 듣게 한 것은 이러한 식의 탐구에서였다. 그 계시의 시작은 70년대 초 내가 청년 그룹과 함께 누가복음을 공부하고 있을 때였다. 학생들은 일층 교실에 꽉 차 있었고 그들은 바닥에 앉은 채로 무릎에 성경책을 올려놓고 최근에 그들이 만나왔던 그 예수님을 더 알기를 갈망했다. 어느 정도의 선입견들이 있었지만 그들은 새로운 마음으로 성경을 읽으며 주님께 계시를 구하고 있었다.

수 주 동안 우리는 예수님의 생애를 설명한 누가복음을 읽어 내려가면서, 그분을 더 알아감으로 더 닮아가기 원했다. 주님은 우리들 모두- 선생인 나 그리고 이 근사한 젊은 신자들에게 그분 자신을 계시하고 계셨다.

예수님은 마지막 때가 오기 전 수세기에 걸쳐서 일어날 많은 징조들을 말씀하셨다. 한 가지 징조가 우리 시대에 독특하다- 이스라엘이 조국으로 돌아오며 예루살렘이 다시 이스라엘 국가의 통치아래 있다.

우리가 누가복음 21장에 들어간 그 주까지 모든 것이 순조로웠다. 나는 이 21장을 어떻게 이해해야 할지를 몰랐다. 더군다나 다른 이들에게 해석해 주어야 했기 때문에 이 특별한 수업시간이 두렵기 시작했다. 이 구절들에서 주님은 제자들에게 미래에 관해서- 그분의 미래와 이스라엘의 미래- 말씀하시던 중이었다. 그분은 성전 파괴와 그것을 둘러싼 사건들을 말씀하셨고, 그러나 그분은 또한 자신의 귀환에 대해서도 말씀하셨다. 그분이 무엇인가를 언급하실 때, 항상 내가 확신했던 것은 아니다.

나는 주님께 계시를 구하면서 21장과 함께 이와 상응하는 마태복음 24장, 마가복음 13장을 수차례씩 읽었다. 여전히 아주 조금만을 파악했지만 그럼에도 난 이 구절들이 우리가 살고 있는 이 시대를 이해하는데 매우 중요하다는 것은 알게 되었다.

내가 바로 우리의 날들과 딱 들어맞는– 그 자리에서– 무엇
인가를 보기 시작했을 때, 나는 그 열심인 학생들 앞에서 그 장
을 마지막으로 한 번 더 읽고 있던 중이었다. 주님은 그 이후로
줄곧 때에 관한 나의 이해에 근거가 되어 왔던 계시를 주고 계
셨다.

갑자기 네 구절이 뚜렷이 선명해지는 것 같았다. 누가복음
21장 20절은 확실히 로마 장군 디도의 군사들을 말하고 있다:
"너희가 예루살렘이 군대들에게 에워싸이는 것을 보거든 그 멸
망이 가까운 줄을 알라." 로마 군사들은 예루살렘 공격을 A.D.
68년에 시작해 A.D. 70년 성전이 파괴되고 황폐해질 때까지
계속했다. 예수님은 그 성전과 지도자들의 이해력 부족을 보시
고 울기도 하셨다.

24절은 유대인들의 이산(dispersion)을 말한다. "저희가[유
대인들이] 칼날에 죽임을 당하며 모든 이방(나라)에 사로잡혀
가겠고." 이 일들은 바로 예수님이 그렇게 되리라고 말씀하셨
던 대로 일어났다. 무수한 이들이 포위당해서 죽고 다른 이들
은 성에서 달아나 돌아오지 못했다. 그들은 곧 세계 모든 나라
들 안에서 발견되었는데, 어떤 이들은 몇 년 뒤 예루살렘으로
돌아오기도 했지만, 130년대 바 코크바(Bar Kokhba) 반란사
건 중 다시 쫓겨나갔다.[1]

로마군이 바 코크바 반란사건을 성공적으로 진압한 후 유대
민족은 예루살렘과 유다로부터 추방당했다. 비록 유대인들이

그 성과 그 땅 안에 살도록 허락 받은 그 다음 연도들의 기간이 있기는 했지만, 19세기의 이주가 시작될 때까지 그 이상 눈에 띌 만한 유대인 거주는 없었다. 1947년 11월의 유엔 투표로 1948년 5월 이스라엘 현대국가 설립이 제정됐을 때까지 유대 국가는 없었다.[2]

예수님은 24절에서 계속 "예루살렘은 이방인의 때가 차기까지 이방인들에게 밟히리라"고 말씀하셨다. 이렇게 짓밟힐 수가! 로마, 비잔틴, 무슬림, 십자군, 터키, 그리고 영국인들- 모두 아브라함과 그 후손들에게 약속된 다윗의 성, 그 땅 안에서 시간과 영토를 빼앗아 갔다.

"이방인의 때가 차기까지!" 나는 생각에 잠겨 읽기를 잠시 멈췄다. 유대인 메시아가 말하기에 얼마나 이상한 말인가? 그 날 예수님의 청중들에게는 과연 어떤 의미였을까? 그 땅은 여호수아의 날들 이후 대체로 이스라엘의 소유였다. 그렇다, 많은 이들이 B.C. 721년 앗수르로 끌려갔다가 전혀 돌아오지 못했다. 다른 이들은 B.C. 6세기에 바벨론에 70년 동안 포로로 잡혀 있었고, 하지만 그럴 때조차도 유대인들은 여전히 그 땅에 살았었다!

예수님이 "이방의 때"에 어떤 의미를 두셨든지 한 가지는 분명했다: 이스라엘의 예루살렘 재입국은 이상하리만치 21장의 이 말씀들과 연관되어 있었고, 내가 읽기로 이스라엘의 현대 역사는 성서와 일치되고 있었다. 현재 그 땅으로 돌아오고 있는 백성들은 내가 지금 읽고 있는 그 말씀들을 들었었던 바로 그들의 후손들이다!

예수님은 "차기까지"(until)를 말씀하셨다. 문득 나는 그 "차기까지"란 말이 1967년 6월 이스라엘이 그들을 침공했던 아랍 6개 국가들을 저지하고 예루살렘 성을 되찾았던 때를 언급한다는 확신이 들었다— 이방인들이 지배하는 그 만기가 차기까지! 이것은 다윗 혈통의 마지막 유대 왕이 그 성에서 쫓겨났던 B.C. 586년 이후, 예루살렘 성의 첫 번째 자주적 소유였다.[3]

나는 성경책 여백에다 "1967"이라고 썼다. 만일 이 말씀이 이스라엘의 예루살렘 재탈환에서 그 성취를 찾은 것이라면, "이방인의 때" 또한 우리 세대에 의미를 둔 것이었다.

나는 1세기 이후 전례가 없는 유대인 신자들의 유입(influx)에 대해 들어왔다. 아무튼 나는 이것을 우리 시대에 의미심장한 일로 알고 있다.

계속 28절에서 예수님은 무리들에게 "이런 일이 되기를 시작하거든 일어나 머리를 들라, 너희 구속이 가까웠느니라"고 말씀하셨다. 나는 "이게 바로 그거야"라는— 예수님이 나사렛 회당에서 이사야 본문을 읽으셨을 때 발생했던 일종의 초현실적인 순간, "이 글이 오늘날 너희 귀에 응하였느니라"(눅 4:21)— 그 말씀 체험을 하고 있었다. 그 시간 이후 나는 거실에 앉은 나의 젊은 친구들과 내게 듣고자 하는 모두에게 "이 말씀이 우리 때에 응하고 있습니다!"라고 말하고 싶었다. 베드로가 오순절 아침 "이는 곧 선지자 요엘로 말씀하신 것이니"(행 2:16)라고 소리 높였던 것처럼 외치고 싶었다. 나는 예수님이 선포하셨던 것을 체험하고 있었다!

누가복음 21장의 성취는 시작되었었던 것이며 나는 그 끝의 시작을 보고 있었다. 나는 일어나 머리를 들어야 하고, 우리의 구속은 가까웠다.

그러나 무엇이 "가까이" 왔는가? 나도 모른다. 주님은 우리가 하듯이 시간을 계산하지 않으신다. "가까이"가 수십 년이 될 수도 혹 내일이 될 수도 있다.

나의 주의를 끈 마지막 절은 32절이었다. "이 세대가 지나가기 전에 모든 일이 다 이루리라." 어떤 세대인가? 예수님 당시의 세대인가? 아니다, 그 세대는 지난 지 너무 오래 되어 그럴 리 없을 것이다! 성취되고 있는 그 일들을 보기 시작하는 세대일까? 나는 그렇게 생각한다.

하지만 한 세대가 얼마나 긴가? 나 또한 그 질문에 궁극적인 답변을 갖고 있지 않다. 여호와는 이스라엘을 40년간 광야에서 인도하셨고 그것을 한 세대로 부르셨다. 하지만 그분은 모세에게 이스라엘이 "사대 만에" 이 약속의 땅으로 돌아오리라 말씀하셨다(창 15:16). 그 귀환이 400년이나 걸렸으니 그렇다면 한 세대는 100년일 수도 있겠다. 내가 확실히 말할 수 있는 모든 것은 이 모든 일들이 일어나리라고 그분이 약속하셨다는 것과 내가 그분을 믿는다는 것이다.

그분이 오실 징조들

그러나 잠깐, 당신은 이렇게 말할지도 모른다. 우리는 그분의 재림을 위한 시간설정에 관여하지 않잖아요, 그렇죠? 예수님도 "그 날과 그때는 아무도 모르나니 하늘의 천사들도 아들도 모르고 오직 아버지만 아시느니라"(마 24:36)고 말씀하셨고, 수많은 점성가들과 예언자들(prognosticators)이 있었는데 그들 모두 틀리게 입증해 오지 않았습니까? 예수님은 그분의 오심이 한밤중의 도적과 같으리라고 말씀하셨는데, 우리가 그렇게 끊임없는 준비상태로 살지는 못하잖아요?

그렇다! 그리고 아니다!

아니, 우리는 그 "시기"(season)에 무지해서는 안 된다. 예수님은 그 당시의 지도자들이 때를 분별하지 못한다고 꾸짖으셨고(마 16:2,3), 바울은 데살로니가인들에게 "너희는 어두움에 있지 아니하매 그날이 도적같이 너희에게 임하지 못한다"(살전 5:4)고 전했다. "노아의 때와 같이 인자의 임함도 그러하리라"(마 24:37).

노아의 때에는 어땠는가? 노아는 하나님의 경고를 듣고 비가 내렸을 때 놀라지 않았다. 그와 그의 가족들은 심판이 오는 그 시기에 자신들이 살고 있다는 것을 알았다. 그들은 홍수를 경험해 본 적이 없었지만 방주는 지어졌고 준비된 동물들이 들어오고 있었다. 그들은 그 시간이 가까웠음을 알고 있었다.

데살로니가인들을 위한 바울의 권면에 따르면, 불신자들은 헛된 안전 속에서 "평안해, 안전해"를 말하나 "저희가 평안하다 안전하다 할 그때에 잉태된 여자에게 해산 고통이 이름과 같이- 바울의 생생한 묘사로 그려진- 멸망이 홀연히 저희에게 이르리니 결단코 피하지 못하리라"(살전 5:3)고 말했다.

해산의 고통은 잉태한 여인에게 전혀 예고 없이 오지는 않는다. 그녀는 아홉 달 동안 그것을 고대해 왔다. 여전히 아기의 출산일, 시간, 그리고 언제 그 고통이 시작되는지 조차 모르지만, 그녀는 그 시간이 가까웠음은 알고 있다. 이것이 인자의 오심이 이루어질 경위다.

예수님은 마지막 때가 오기 전 수세기에 걸쳐서 일어날 많은 징조들을 말씀하셨다. 이러한 것들의 대부분은 어느 세대에나 있어 왔다- 홍수, 기근, 질병들. 이러한 일들은 극심하게 자주 있을지도 모르지만 새로운 것은 아니다. 이러한 것들만으로는 우리가 살고 있는 이 시기에 관해서 충분치 못한 단서들이다.

바울은 디모데에게 마지막 때에 고통의 시기가 이를 것이며 사람들이 무자비해지며 사회와 가족들은 불안하고, 증가되는 중독과(절제하지 못함), 참소하고, 선한 것을 좋아하지 않으며, 조급하며, 온 세상이 쾌락을 추구하게 될 때가 온다고 말했다. 그리스도의 몸들조차 "경건의 모양은 있으나 경건의 능력은 부인할 것이며"(딤후 3:1-5) "이 같은 자들에게 돌아서라"고 말했다. 이러한 징조들 역시 이전 세대에 나타났었다.

한 가지 징조가 우리 시대에 독특하다. 바로 선지자들과 예수님이 예견하셨듯이 이스라엘이 조국으로 돌아오며 예루살렘이 다시 이스라엘 국가의 통치 아래 있다.

예수님은 예루살렘의 함락을 예견하시며 그 성을 보고 우셨다:

> 예루살렘아, 예루살렘아 선지자들을 죽이고 네게 파송된 자들을 돌로 치는 자여 암탉이 그 새끼를 날개 아래 모음같이 내가 네 자녀를 모으려 한 일이 몇 번이냐, 그러나 너희가 원치 아니하였도다. 보라 너희 집이 황폐하여 버린 바 되리라. 내가 너희에게 이르노니 이제부터 너희는 "찬송하리로다 주의 이름으로 오시는 이여" 할 때까지 나를 보지 못하리라(마 23:37-39).

이 말씀은 이방인들에게 하신 것이 아니라 예수님의 혈통 이스라엘에게 하신 말씀이었다. 그분은 유대 민족이 그분을 받아들일 준비가 되고 나서야 돌아오실 것이다. 믿음의 눈으로 우리는 그 때가 다가오고 있음을 알 수 있다. 바로 이번 주 예루살렘의 유대인 형제들 중 한 명으로부터 편지를 받았다. "점점 더 많은 이들이 예루살렘과 이스라엘 안에서 그분께 '찬송하리로다 주의 이름으로 오시는 이여!' 라고 외치고 있습니다."

얼마 전에 나는 하늘을 응시하며 "찬송합니다! 주의 이름으로 오셨고 이제 곧 오실이여"라고 기도하던 많은 유대인 신자들과 함께 감람산 위에 서 있었다.

1세기 이후 어느 세대에도 유대인 신자들의 몸이 조국과 열방들 안에서 그토록 급속히 증가했던 적은 없었다. 그분의 죽음 바로 전 예루살렘을 바라보시며 예수님이 말씀하셨던 "때가 차기까지"가 더 가까워지고 있다. 우리는 그들의 메시아를 맞이할 준비가 된—"찬송하리로다 주의 이름으로 오시는 이여"라고 외칠 준비가 된 유대인들을 보고 있다.

내가 젊은 유대인, 이방인 신자들의 히피/예수운동 클래스와 함께한 그 날들 이후 배워 왔던 그 진리와 함께 걸어가 보자. 우리 앞에 펼쳐지고 있는 그 밖의 예언들— 우리의 때를 고대했던 예언자들의 기록된 말씀들을 나누도록 하자.

내가 말하려고 하는 것에 의문이 생기면 당신의 "성경말씀"을 가지고 스스로 시험해 보라. 성경을 펼쳐서 읽으며 주님께 당신의 마음과 생각과 영을 열어달라고 간구하라. 성경의 기록된 선입견들을 내려놓고 주님이 당신께 말씀하시게 하라. 계시를 간구하고 지혜를 구하며 기꺼이 변화 받도록 하라!

내 스스로의 초점이 뚜렷해진다. 유대 백성들을 향한 하나님의 마음이 그들을 향한 나의 마음이 되어야 한다. 이 특별하게 부르신 가문을 향해 그분이 가지고 계신 열망으로 우리의 마음이 돌아설 때, 당신과 나는 오랜 세월 전 아브라함에게 말씀하신 그 축복 아래서 우리 자신을 발견하게 될 것이며, 우리의 영은— 유대인이나 이방인이나 동일하게 주장하시기 위한, 메시아의 임박한 귀환의 이 우주적 징조들을 볼 수 있도록 깨어날 것이다.

노트

1. "Bar Kokhba" and "The Bar kokhba Revolt," Encyclopedia Judaica [Jerusalem: Judaica Multimedia, 1997] CD-ROM.
2. 만일 그 투표가 오늘날 표결에 들어갔다면, 이스라엘의 국가로서의 지위를 승인하려 하는 한 국가도 찾기 힘들었을 것이다. 미국조차도 이스라엘에게 그들을 바다로 내몰아 버리겠다는 열방들과의 평화를 위해 양보하라고 압력을 가했을 것이다.
3. B.C. 164년 Judas Maccabaeus와 그의 군대가 예루살렘을 통제했던 한 짧은 간격이 있었지만, 로마가 돌아오는 것은 단지 시간 문제였다.

제2장

"넘치는 부요함" 세상의 부흥

저희의 넘어짐이 세상의 부요함이 되며 저희의 실패가
이방인의 부요함이 되거든 하물며 저희의 충만함이리요!
로마서 11:12

나는 누가복음 21장의 계시 이후 전혀 달라졌다. 비록 교회
의 목회는 계속했지만 유대인 문제에는 계속 민감했다. 이 주
제와 관련해서 내가 찾을 수 있는 모든 책, 신문, 잡지들을 읽
었다. 이스라엘은 그 당시, 지금도 그렇지만 거의 매일 저녁 뉴

스거리였다. 나도 모르게 유대 민족에게 마음이 이끌렸다. 때때로 난 그 오랜 세월 동안 열방들의 분노를 견뎌왔던 이 백성들의 비통함에 압도되었다. 구약과 신약, 성서의 많은 구절들에 대한 연구는 이러한 관점에서 모든 자료들을 검토하게끔 나를 몰아갔다.

아담과 이브의 날들 이후 이 땅 위에 살아왔던 사람들의 반 이상이 오늘날 그대로 살아 있다고 말을 할 정도로 최근의 조사에서 다섯 사람 중 한 명이 신자로 집계되었다. 앞서간 모든 세대보다 더 많은 신자들이다.[1] 모든 대륙마다 수백만의 사람들이 믿음을 갖게 되는-세계 역사상 가장 위대한 부흥이다!

예를 들면, 8천만 명의 중국인들이 현재 크리스천이다. 어떤 이들은 1억 5천이라고 믿고 있다. YWAM의 가장 최근 자료에 의하면 한 시간마다 1,200명이 믿고 있는데 일 년이면 천만이 넘는다.[2] 50년 전 그 광활한 땅에는 신자가 백만 명도 채 되지 않았다. 우리가 영혼들의 추수의 이 같은 극적인 증가를 어떻게 설명할 수 있겠는가?

1948년 이스라엘 국가가 탄생되었을 때 중국의 일백만 신자들은 공산주의 치하에 들어가고 있을 때였다. 목사나 지도자들은 감옥에 가거나 죽임 당했고 교회 건물들은 파괴됐다. 교회는 지하로 숨어야 했다. 하지만 교회는 죽지 않았다. 이스라엘의 희년 50년 후 즈음 서양인들이 그 지하교회를 접촉할 수 있었을 때, 성장하고 있는 8천만 명의 강한 믿음의 공동체를 보게 되었다. 그것만으로도 무려 8천 퍼센트 증가다! 이 놀랄 만한 통계와 유대 백성들 간에 무슨 관련이 있다는 것인가?

17세기의 청교도, 로버트 리톤(Robert Leighton)은 그 관계를 깨닫고 이렇게 썼다.

> 유대인들의 회심을 위해서 매일 기도하지 않는 이들은, **교회**의 영광을 위한 주요 핵심을 잊어버리고 만다. 의심의 여지없이 그 유대 백성들은 일어나 빛을 발하라는 명을 다시 받게 될 것이며, 그들의 귀환은 '이방인들의 부요함'이 되고 하나님의 교회가 이제껏 보았던 것보다 더 큰 영광의 때를 이룰 것이다![3]

350여 년 전에 쓰여진 이 글은 그 시대에 혁명적인 개념으로 제기되었다. 17세기 동안 **교회**는 하나님이 이스라엘과 끝내시고 **교회**가 이스라엘을 대신했다고 주장했다. 이제 크리스천 교회가 이스라엘에게 주어졌던 이전의 모든 약속들의 수령자가 되어야 한다는 것이었다.

리톤은 그가 사도 바울에 의해서 쓰여진 연쇄적 질문들을 떠올렸을 때 로마서의 "유대인 항목"(롬 9-11장)을 읽고 있었음이 틀림없다: "그러므로 내가 말하노니 하나님이 자기 백성을 버리셨느뇨?"(11:1), "저희가 넘어지기까지 실족하였느뇨?"(11:11), "저희의 넘어짐이 세상의 부요함이 되며 저희의 실패가 이방인의 부요함이 되거든 하물며 저희의 충만함이리요, 저희를 버리는 것이 세상의 화목이 되거든 그 받아들이는 것이 죽은 자 가운데서 사는 것이 아니면 무엇이리요?"(11:12, 15).

잠시만! 로버트 리톤은 깊이 생각했을 것이다. 하나님은 유대인들을 지나쳐 버리신 것이 아니다! 그들이 돌아오고 있다! 그리고 바울에 의하면, 그들이 돌아올 때 그것은 세상이 이제껏 알지 못했던 가장 위대한 영혼들의 추수를 의미할 것이다! 넘치는 부요함! 죽음으로부터의 삶!

리톤은 바울이 말하려고 한 열방 가운데 세상의 부흥은, 조국으로의 그리고 주님에게로의 이스라엘의 귀환과 평행을 이루리라는 것을 깨닫고 있었다. 그는 우리 세대가 지금 체험하고 있는 것을 예견해서 보고 있었다.

앞서서 보는

로버트 리톤의 외침은 이스라엘의 물리적, 영적 회복을 예견했던 단지 앞선 세기의 예언적 음성만은 아니었다. 일찍이 1560년 제네바 성경을 편찬한 영국과 스코틀랜드의 위대한 개신교 지도자들 안에서는 머지않아 이스라엘에 성취되어야 하는 하나님의 부르심에 대한 인식들이 있었다. 그는 로마서 11장 15, 25절의 여백에 이렇게 기록했다. "그분은 유대인들의 온전한 국가가 비록 따로따로 모두는 아니더라도, 그리스도의 교회와 합류하게 될 그 때가 올 것을 보여 주셨다."4)

1649년 존 오웬(John Owen)은 영국 하원에서의 설교에서 "이 고대로부터의 백성들이 수천만의 기도의 응답 안에서… 이방인들의 부요함과 함께, 한 무리[교회]가 될 그때"를 예견하며… 그것의 시작은 유대인들과 함께임이 틀림없다고 말했다.[5]

1839년 스코틀랜드 장로교의 로버트 머레이 맥체니(Robert Murray M' Cheyne)는 '팔레스타인'을 여행하고 집으로 돌아와 로마서 1장 16절을 기초로 설교했다: "내가 복음을 부끄러워하지 아니하노니 이 복음은 모든 믿는 자에게 구원을 주시는 하나님의 능력이 됨이라 첫째는 유대인에게요 또한 헬라인에게로다."

찰스 시므온(Charles Simeon, 1782년~1836년, 캠브리지 설교자)은 한 친구가 유대인들의 미래에 대해 그에게 써 보낸 질문을 받은 적이 있었다. "육백만의 유대인들과 육억의 이방인들― 어느 쪽이 가장 중요한가?" 그는 즉각 답신을 써 보냈다. "만일 그 육백만의 회심이 저 육억 명에게 죽음으로부터 생명이 된다면, 그 답은 무엇이겠나?"[6]

"그리스도 안에서 하나님께 돌아오는 이스라엘의 위대한 사건" 1898년부터 1901년까지 잉글랜드 여왕의 궁정 사제였던 핸들리 몰리(Hendley Moule) 감독의 말이다. "그 사건은 전 세계 교회들 안에 영적 삶의 엄청난 부흥의 징조와 수단이 될 것이며, 세상으로부터 거듭난 영혼들의 유례없는 회심의 추수로 이어질 것이다."[7]

앤드류 보너(Andrew Bonar: 19세기)는 이스라엘이 모든 열방들에게 죽음으로부터 생명이 될 "영원한 국가"가 되리라 믿고 있었다.[8] 18세기 모라비아인들의 영적 지도자 진젠도르

프(Zinzendorf) 백작은 오직 유대 백성들이 주님께 돌아온 후에야 많은 족속들로부터 대규모의 회심이 있으리라고 내다보았다.9)

영국의 위대한 설교자 스펄전(C.H. Spurgeon)은 이렇게 썼다: "나는 우리가 유대인들의 회복을 위해 충분한 중요성을 부여하지 않는다고 생각한다. 그러나 분명히 성경에 약속된 어떠한 것이 있다면, 그것이 이것이라면… 유대인들이- 이방인들의 첫 사도들이었던, 더 멀리는 우리들의 첫 선교사들이었던- 다시 모이게 될 그 날은 머지않아 올 것이다. 그것이 있을 때까지 교회의 넘치는 영광은 결코 올 수 없다. 세상을 향한 비길 데 없는 은혜가 이스라엘의 회복과 함께 깊이 연관되어 있다. 그들의 합류는 죽음으로부터 생명과 같을 것이다."10)

이전 세대의 이 같은 믿음의 사람들은 로마서 11장을, 이스라엘 국가가 재건될 때 그리고 엄청난 유대 백성들이 주님을 받아들이기 시작할 때, 그와 동시에 놀라운 부흥이 온 세상을 휩쓸게 될 바로 그 때를 지적하는 말씀으로 이해했다.

그들은 오늘날 이 지구상에 드러나고 있는 일들을 그분의 영을 통해서 보고 있었다.

유대인의 귀향과 세상의 부흥

유대 민족은 19세기에 엄청난 숫자가 이스라엘로 돌아오기 시작했으며 지금도 여전히 매년 수천 수만이 이주하고 있다. 메시아닉 유대인 신자들과 회중 교회들이 급속히 증가하고 있다. 그리고 세상은 역사상 최대의 영적 각성을 체험 중이다. 바울(그리고 이전 세대의 성서 연구가들)에 의하면, 이러한 사실들이 손댈 수 없게 서로 엮여 있다는 것이다: 이스라엘의 귀환- 물리적, 영적, 모두- 그리고 세상의 부흥. 이 사건들이 어떻게 결합되는지 지켜보자.

시온주의의 탄생 이후 믿음을 갖게 된 유대 백성들의 70%, 즉 믿음을 갖게 된 이들의 50% 이상이 1948년 이스라엘의 국가 창설 이후에 왔다.

예수를 믿게 되었던 모든 사람들의 70%가 1897년 스위스 바셀의 제 1차 시온주의 컨퍼런스 후에 왔다. 시온주의의 탄생으로- 그 땅에 유대민족의 권리를 알리는 운동- 1:27이던 신자와 비신자의 비율은 오늘날 1:5가 되었다.

시온주의(Zionism)의 탄생 이후 믿음을 갖게 된 유대 백성들의 70%, 즉 믿음을 갖게 된 이들의 50% 이상이 1948년 이스라엘의 국가 창설 이후에 왔다. 미국 캘리포니아 주 패서디나에 있는 세계선교센터의 랄프 윈터(Ralph Winter)에 의하면 복음주의 신자들의 숫자가 세계 인구보다 3.5배나 빠르게 성장하고 있다고 한다.

시온주의 운동이 발단되었던 당시에 자신을 크리스천이라고 말하는 아프리카인들은 단지 3%에 불과했지만 오늘날 50% 이상이 크리스천임을 인정하고 있다. 한국은 1897년 단지 1%의 크리스천들만이 있었지만 현재 20%에 이르고 있다. 세계에서 가장 큰 교회는 한국의 서울에 있는 순복음교회인데 무려 신자가 70만 명이다.

인도에는 현재 1억 300만 명의 신자들이 있으며 힌두사람들 가운데 7분마다 새로운 교회가 탄생되고 있다.

1980년 이후, 그 이전 천 년간의 모든 숫자보다 더 많은 무슬림이 예수를 믿게 됐다. 복음주의 로잔 특별위원회의 통계자료는, 이슬람이 3.2%의 비율로 증가를 계속하는 반면 예수 믿는 사람들은 전 세계적으로 매년 6.9%의 비율로 증가한다고 한다.

그리고 인도네시아에는 인구의 약 20%가 현재 크리스천이다.

양쪽 모두 19세기 전환기에 일어난, 현대 오순절 운동(성령 사역의 재발견)의 탄생과 시온주의의 탄생(이스라엘의 국가 재건을 위한 운동) 또한 고려해 보자. 50년 전 세상을 휩쓸었던 그 유명한 치유사역, 늦은 비 부흥운동(The Latter Rain Revival) 역시 1948년 이스라엘의 국가 탄생과 거의 동시에 일어났다. 1967년 이스라엘이 예루살렘의 소유권을 가져왔던 제 3차 중동전쟁(6일 전쟁, The Six-Day War, 6/5~10)은 묘하게도 그토록 많은 유대인 청년들이 예수아/예수를 이스라엘의 메시아로 믿기 시작한 그 당시 예수운동의 시작과 같은 연도였다.

이 거대한 세계운동은 한 선교단체 만에 의해서 불붙은 것이 아니다; 하나님의 연합된 백성들의 사역이다. 시편기자는 주의 형제들이 "연합하여 동거할" 때 임하는 축복(시 133:1)을 말했다. 예수님도 믿는 자들 안의 연합으로 그것을 지켜보는 세상 또한 믿게 되도록 기도하셨다(요 17:21-23). 시편기자의 약속과 그리고 예수님의 기도는 점차 결실을 맺어가고 있다. 열방들의 이러한 각성은 대부분의 주요 크리스천 단체들로부터 연합된 이들의 수고를 통해서 일어나고 있다.

세상의 모든 열방과 모든 미전도 종족들을 복음화하기 위한 AD 2000 운동은 이제 모든 교파의 사람들과 연관되어, 역사와 함께 시작된 위대한 기도의 수고들과 동반되고 있다. 어림잡아 삼천만이 기도운동에 관련되어 있으며 종종 인터넷의 도움을 통해 같은 날 같은 민족을 위해 자주 기도로 연합한다. 한국에는 기도하는 산들이 있으며 세계 도처에도 기도센터들이 있다.

국제대학생선교회(CCC) 빌 브라이트(Bill Bright) 총재는 이백만 명의 사람들이 세상에 추수를 알리기 위해 40일 동안

금식할 것을 주님께서 그에게 보이셨다고 믿고 있다.[11] 스타디움은 예배자들로 넘치며 셀 그룹과 가정교회들이 증가하고 있다. 지구촌 화목운동(reconciliation movement)이 믿는 자들을 연합시키고 있으며, 초교파 선교조직과 사역단체들이 사역의 성취를 위해 서로 협력하고 있다. 이 모든 것들이 우리의 끝없는 연약함에도 불구하고 오늘날 교회 안에서 세상이 이제껏 보아 왔던 것보다 가장 위대한 연합과 가장 위대한 열정들이 잃어버린 영혼들을 향해 일어나고 있다.

이러한 성장은 믿음의 역사상 전례가 없이 그 땅에 이스라엘의 물리적 회복과 평행하여 발생하는 것으로, 예수 믿는 유대인 신자들의 첫 열매의 추수다. 이것이 참으로 수백만을 위한 죽음으로부터의 생명이며 온 세상을 향한 넘치는 부요함이다- 바로 리톤, 오웬, 맥체니, 시므온, 몰리, 보너 그리고 모두가 그렇게 되리라 생각했듯이, 그리고 사도 바울 또한 그렇게 되리라는 것을 알고 있었듯이!

징조와 기사들

1세기에서처럼 20세기 추수의 많은 부분들이 표적, 치유, 천사의 방문 그리고 그 밖의 기적들을 통한 주님의 주권적인 간섭의 결과로 찾아왔다. 기독교 서점에는 이러한 현상들을 입증하는 책과 잡지들로 가득 차 있다.

예멘의 한 침례교 선교사는 하나님의 아들에 대한 꿈을 꾸었던 무슬림 부족 청년이 그 꿈속에서 "자신을 예수 그리스도라고 말한" 그분에 대해서 더 설명해 줄 수 있는 크리스천들을 찾기 위해 그 나라의 수도로 올라왔다는 이야기를 전했다.[12]

인도에서는 마두라는 이름의 한 눈먼 여인이 "예수" 영화를 소리로만 감상했다. 자신의 빈약한 성경지식으로도 마두는 바디메오라는 한 장님이 자비를 베풀어 달라고 외친 다음 치유받은 것을 기억했다. "예수님이 참으로 기적을 일으키실까?" 그녀는 알고 싶었다. 그녀는 잠자다 꿈속을 표류하면서 중얼거렸다. "나는 불쌍한 여자에요, 나도 당신의 도움이 필요해요." 다음날 아침 일찍 그녀의 가족들은 마두의 외치는 소리 때문에 깨어났다. 그녀의 침대로 급히 달려간 그들이 발견했던 것은 "난 볼 수 있어, 나는 볼 수 있어!" 하며 기뻐 외치고 있는 그녀였다. 치유하시는 예수님의 말씀이 마을 전역으로 퍼져나가고 수많은 이들이 믿음으로 반응했다.[13]

1983년 알제리에서 약 125마일에 위치한 아프리카 북쪽 마을에 주님께서 환상, 꿈 그리고 천사들의 방문을 통해 말씀하시며 집집마다 역사하기 시작하셨다. 주님은 이 무슬림 공동체의 모든 이들이 다 그분을 소개받을 때까지 쉬지 않으셨다. 동틀 무렵 마을 사람들이 자신들의 얘기를 전하기 시작했다. 몇 날 몇 주가 계속되었고 400~450명의 마을 사람들이 예수를 메시아로 믿는 신자가 됐다. 그 후 선교사들이 그 마을 역사를 다시 탐구하기 시작하면서 이미 오백 년 앞서 마요르카의 한 스페인 선교사가 바로 그 곳에서 돌에 맞아 죽었다는 사실을 알게 됐다. 그 선교사 래이몬드 룰(Raymond Lull)은 이 같은 글을 남겼다. "이슬람의 요새는 사랑과 기도 그리고 눈물과 피를 쏟아 부음으로 가장 잘 정복된다."[14]

북아프리카 나일 강에 도착한 선교사들은 이러한 질문을 들으며 환영을 받았다. "당신들은 하나님의 아들의 출현을 우리에게 말하기 위해 보내진 전령입니까?"[15] 이 백성들은 어느 날 하나님께서 아들을 가질 것이고, 그 사건을 그들에게 말해줄 전령을 보낼 것이라고 사백 년 동안이나 믿고 있었다. 그들이 소식을 들었을 때 세상의 종말이 가까이 왔다는 것을 깨달았다.

모잠비크에서는 심하게 다리를 저는 불구에다 귀까지 안 들리는 한 나이 많은 여인이 주님께 자신의 삶을 드린 후 기적적으로 치유됐다. 그녀는 그 지역에서 첫 번째로 알려진 회심자였다. 무려 오만 명이 넘는 이들이 그 열매에 이어진 결과로 주님께 돌아왔다.[16]

죽음으로부터의 생명! 넘치는 부요함! 예수님이 말씀하셨다. "이 천국 복음이 모든 민족에게 증거되기 위하여 온 세상에 전파되리니 그제야 끝이 오리라"(마 24:14).

만일 로마서 11장 12절, 15절에 관한 로버트 리톤, 존 오웬 그리고 다른 이들의 이해가― 우리 시대의 증거들에 따라― 정확했다면, 유대인과 이방인들 모두에게 가장 위대한 세상의 부흥은 바로 앞에 있다. 이 광대한 세상의 각성은 단지 시작됐을 뿐이다. 온 세상에 빛을 가져오도록 선택된 이 민족은 그들의 운

명을 성취할 것이다. 다른 이들을 축복해 왔던 이 제사장 나라
는 머지않아 가장 위대한 그 축복의 시간 안에 들어갈 것이다.

노트
_____

1. 1993년 1월, 1996년 1월, 1999년 1월호 Charisma magazine의 world evangelism 기사에서 인용.
2. Floyd McClung, ed, *Light the Window*: Praying Through the Nations of the 10/40 window (Seattle: WA: YWAM Publishing, 1999)
3. Iain H. Murray: *The Puritan Hope*: A Study in Revival and the Interpretation of Prophecy.(1971, Banner of Truths, 1998)
4. Ibid, p. 72
5. Ibid, p. 100
6. Ibid, p. 155
7. Handley C.G. Moule, ed., *"The Epistle of St. Paul to the Romans"* (Eerdmans Publishing 1956) Michael Brown: Our hands are Stained with Blood(Destiny Image Publishers, 1992)
8. Andrew Bonar, *Memoir and Remains of Robert Murray M'cheyne*(The Banner of Truth Trust, 1995)
9. John R. Weinlick, *Count Zinzendorf:* The Story of His Life and Leadership in the Renewed Moravian Church(Abingdon Press, 1956)
10. C.H. Spurgeon, quoted in Murray, The Puritan Hope
11. Bill Bright, *The Coming Revival*: America's Call to Fast, Pray, and Seek God's Face(New Life Publication, 1995)
12. Howard Folz, *The Unfinished Task of World Evangelism*(Charisma, 1999)
13. John Lindner, India: Reaching Hidden People(Charisma, 2000)
14. George Otis, Jr., *The Last of the Giants*(Fleming H. Revell, 1991)
15. Folz, *The Unfinished Task*
16. Ibid, p.49

이스라엘- 제사장의 나라

너희가 내게 대하여 제사장 나라가 되며 거룩한 백성이 되리라.
출애굽기 19:6

아내와 난 코리 텐 붐(Corrie ten Boom)에 대해서 들어왔으며 나치의 유럽 테러 통치기간 중 유대인들에게 피난처를 제공한 이 네덜란드 여인의 글을 읽었었다. 코리의 삶의 스토리를 담은 영화 'The Hiding Place'가 극장에서 개봉되자 우리는 그것을 보러 갔다. 영화가 끝났을 때 우리는 감정적으로 너무 복받쳐 올라 좀처럼 자리를 뜰 수가 없었다. 극장을 나와 집으로 운전해 오는 동안 우리는 내내 침묵했다. 집에 도착해서도 심지어 각기 다른 방에 들어가 우리 안에 일어났던 충격을 정리하기에 충분한 평정을 찾을 때까지 울고 또 울었다.

그들이 하나님의 백성, 우리 주님의 가장 가까운 피를 나눈 친족이었다. 그들 중 누군가가 아직 살아 있다는 것이 얼마나 기적인가! 그리고 조국 땅도 없이 이천 년 동안 줄곧 그들의 국가 정체성을 유지했다니! 불가능하다, 하나님이 기적적으로 그들을 지켜주시지 않았다면!

반-유대주의자들이 주류였던 바로 50년 전 유엔은 이스라엘의 현대 국가재건을 위한 그들의 오랜 조국 땅의 합당여부를 2/3 표차로 동의했다. 그보다 일 년 전이나 일 년 후였다면 있을 수 없는 일이었다. 하나님께서는 예언자들의 말이 성취되도록 시간의 조그만 창문을 열어 놓으셨다.

이 지구상의 다른 모든 가문들로부터 이 민족을 구별하는 한 가지 것은: 하나님이 그들을 세상의 제사장 나라로 선택하신 것이다. "세계가 다 내게 속하였나니, 너희는 열국 중에서 내 소유가 되겠고 너희가 내게 대하여 제사장 나라가 되며 거룩한 백성이 되리라"(출 19:5,6). 이스라엘 백성을 애굽의 속박에서 광야로 인도하시면서 모세에게 하신 말씀이었다. 이제 이스라엘은 "모든 땅 끝까지도 우리 하나님의 구원을 보게 될" 때까지 하나님을 모든 열방에게 나타내는 것이다(사 52:10).

그러나 이 풋내기 백성들을 우상 숭배로부터 지키는 것은 쉽지 않았다. 모세가 그들을 위해 하나님의 지시를 받고 있던 동안까지도, 그가 산 위에 너무 오래 머문 사이에 이방의 관습으로 되돌아가 버렸다. 그들은 그들이 애굽에서 알고 있었던 그와 비슷한 우상들─ 보고 만질 수 있는 신들을 원했다. 아론은 타협하려 했으며 그들의 금을 거둬들여 금송아지를 본떠 만들면서 말했다. "내일 여호와를 위한 축제가 있으리라." 달리 말하면 "우리가 이 금송아지 형상으로 하나님을 예배하자!"이나, 그들 계획대로 되지 않았다. 하나님은 그 타협안을 받아들이지 않으셨고, 삼천 명의 이스라엘 백성이 하루 만에 죽어 버렸다 (출 32:1-5,28).

모세가 마침내 하나님의 계명을 가지고 산을 내려왔을 때 처음 세 계명은 주님을 향한 이스라엘의 충성과 관계가 있었다. "너는 나 외에는 다른 신들을 네게 있게 말지니라. 나를 위하여 새긴 우상을 만들지 말고 아무 형상이든지 만들지 말며 너는 너의 하나님 여호와의 이름을 망령되이 일컫지 말라"(출 20:3,4,7).

오직 하나이신 참 하나님을 향한 이 본질적인 충성은 유대인 신앙의 모퉁이 돌이 되었으며, 규례를 준수하는 유대인들에 의해서 아직도 하루 두 번씩 그리고 세상의 모든 회당마다 매주 쉐마(Shema)의 말씀으로 지켜지고 있다: "이스라엘아 들으라 우리 하나님 여호와는 오직 하나인 여호와시니"(신 6:4).

이스라엘은 분리된 국가로 남아야 했고 그러한 이유로 다른 종족과의 결혼이 금지됐다. 지혜가 넘쳤던 솔로몬조차도 이방 아내들로 인해 이방 신들의 함정에 빠져 버렸다. 북 왕국과 남 왕국 양쪽의 궁극적 종말을 초래한 것은 결국 우상숭배였다.

세상의 나라들은 그들의 많은 신들을 숭배해 왔지만 오직 이스라엘과 유대인의 뿌리에서 비롯된 그들은 "여호와 우리의 하나님, 주님은 한 분이시다"의 믿음을 유지해 왔다.

하나님의 이름 야훼(YHWH)가 너무 거룩해서 모든 유대 백성들이 그 이름에 대해서 말하려고 하지 않을 때 이사야가 애통했다. "하늘이여 들으라 땅이여 귀를 기울이라 여호와께서 말씀하시기를 내가 자식을 양육하였거늘 그들이 나를 거역하였도다"(사 1:2). 그분의 잃어버린 자녀들, 그리고 변덕스러운 자녀들을 슬퍼하시는 하나님이다!

이것이 오직 하나이신 참 하나님의- 홀로 그분께만 충성을 요구하시는- 독특하심으로 이스라엘의 도전이었다. 가나안족, 애굽인, 그리스인 그리고 로마인들도 많은 신들 가운데 그분만이 오직 유일한 신이라는 측면에선 이스라엘의 하나님을 반대하지 않았다. 그러나 하나님은 명백히 밝히셨다. "다른 신은 없다." 이스라엘은 그분만을 예배하도록, 그분 안에서 살아있는 믿음을 지키도록 따로 구별되었다.

세상의 나라들은 그들의 많은 신들을 숭배해 왔지만, 오직 이스라엘과 유대인의 뿌리에서 비롯된 그들은 "여호와 우리의 하나님, 주님은 한 분이시다"의 믿음을 유지해 왔다.

안식하시는 하나님

모세가 하나님과의 산상 대면에서 가지고 내려온 네 번째 계명은 한 특정한 날을 매주 예배를 위해서 따로 떼어놓는 것이었다:

> "안식일을 기억하여 거룩히 지키라. 엿새 동안은 힘써 네 모든 일을 행할 것이나 제 칠일은 너희 하나님 여호와의 안식일인즉, 아무 일도 하지 말라. 이는 엿새 동안에 나 여호와가 하늘과 땅과 바다와 그 가운데 모든 것을 만들고 제 칠일에 쉬었음이라. 그러므로 나 여호와가 안식일을 복되게 하여 그날을 거룩하게 하였느니라"(출 20:8-11).

얼마나 참신하고 기발한 아이디어인가? 쉼을 권하신 하나님. 그분의 백성을 노예로 만들지 않으셨던 하나님. 어떤 나라도 이제껏 그와 같은 신을 알았던 적이 없었다.

주 1회 안식일을 준수함으로 유대 가문은 그분의 백성들에게 공급하시는 하나님의 덕을 영원히 선포하게 되는 것이다.

경제 상황은 그들의 삶을 결정짓는 요소가 되지 않았다. 그분의 명령에 순종함으로 살면, 육일 동안 충분히 공급하셨기에 일곱째 날에는 쉴 수 있었다.

이스라엘의 하나님은 광야에서 40년 동안 그분의 말씀에 대한 헌신을 확인하셨다. 백성들은 매일 하루 분의 만나를 거둬야 했고 그러나 여섯째 날에는 이틀 치를 충분히 모아야 했다. 안식일에는 거둬들일 것이 없었다. 더러는 만나를 몰래 저장했고 또는 주의 계명을 청종치 않고 아침까지 두었으나 벌레가 생기고 냄새가 났으며, 안식일에는 아무 것도 거두지 못했다. 두 그룹 다 하나님이 그분의 말씀에 신실하셨음을 강하게 보여준 실례이다(출 16:14-20).

이 안식일의 쉼은 이스라엘 백성들뿐만 아니라 하인들이나 동물들에게까지 베풀어졌다. 그리고 더 나아가 매 칠 년마다 땅도 쉬어야 했다. 안식년에는 그분의 공급하심만을 신뢰해야 했다. "안식년의 소출은 너희의 먹을 것이니"(레 25:6) 모세에게 하신 말씀이었다. 이스라엘은 농부들이 나중에 배워야만 할 것을- 땅의 영양분들은 그 땅을 한 해 동안 휴경함으로써 다시 채워진다는 것- 이미 실습하는 중이었다.

보호하시는 하나님

세상의 어떤 정부도 이스라엘 정부와 겨룰 수 없었다. 그것은 하나님 스스로에 의해서 통치되는 일련의 군주정치

(monarchy)였다. 그 당시 세상의 법치 제도와 비교했을 때도 이 제도는 온유와 자비에서 놀라우리만치 최상의 수준이었다.

십계명의 나머지 부분은 가족 안에서 그리고 공동체 안에서 사람들 간의 관계를 위한 근본적인 원리를 구성한다. "네 부모를 공경하라, 살인하지 말지니라, 간음하지 말지니라, 도적질 하지 말지니라, 거짓 증거하지 말지니라, 네 이웃의 소유를 탐내지 말지니라"(출 20:12-17).

이러한 계명들은- 만일 순종했다면- 사회에 큰 변혁을 가져왔을 것이다. 법정이나 감옥도 필요치 않고 경찰이나 안전 시스템도 필요 없었을 것이다.

부가된 율법들도 높은 수준의 도덕과 공의를 지켜 나갔다. 고아와 과부를 위한 항목들이 제정되었고 사고 발생 시의 후속 조치 지침들도 있었다. 어느 국가도 그토록 인도적 긍휼의 법규가 주어진 적이 없었다. 백성들이 그 법규들을 따르려 하지 않음을 아셨음에도 하나님께서는 또한 그들의 연약함과 그들이 사는 시대에 맞춰, 계약된 종과 노예들을 위한 법규, 이혼과 일부다처제에 관한 법들을 제정해 주셨다. 이스라엘이 그 법규들을 잘 따를 동안에 각 열방의 지도자들이 그것을 관찰하려고 먼 곳으로부터 찾아왔다(왕상 10:24).

더욱 현대에 들어와, 이스라엘은 그 전 세대를 능가하는 놀라운 건강 기준을 제시했다. 예를 들면, 1847년 빈 출신의 의사 이그나즈 셈멜와이즈(Ignaz Semmelweis) 박사는 그가 질병환자들을 검사한 후 또는 죽은 환자들의 부검 실시 후 자신의 손을 정결케 하기 시작했을 때, 그의 환자들의 사망률이 극적으로 감소한다는 것을 알게 되었다. 그는 이러한 실습을 산부인과 병동의 다른 의사들에게도 시도해 보려 했지만 곧 병원에서 해고됐다. 몇 달 후 그는 부다페스트의 한 병원에 의사 자리를 얻을 수 있었다. 그곳에서 자신의 진료 팀에게 이 예외적인 요구를 실시했을 때 역시 임신한 여성들의 사망률이 두드러지게 감소되었다.[1] 그의 비밀은? 그 훌륭한 의사는 단지 하나님이 오래 전 모세에게 주셨던 그 원칙을 적용한 것뿐이었다 (민 19:11-14).

  1900년대 초, 히람 와인버그(Hiram Wineberg) 박사는 자신의 유대인 환자들에게 자궁암이 존재하지 않는다는 사실을 알게 되었다. 1949년 뉴욕 벨리브종합병원, 메이요의료원에서 연구가 진행되었고, 1954년 보스턴에서는 더 확실히 실증된― 할례 받은 남자들의 아내들이 할례 받지 않은 남자들의 아내들보다 암의 사례가 훨씬 더 적었다는― 보고가 나왔다.[2] 거의 4천 년 전 하나님은 이스라엘에게 그들의 여인들을 질병으로부터 보호하는 한 언약의 증표를 주셨던 것이다.

  아브라함에게 하나님이 말씀하셨다. "대대로 남자는… 무론하고 난 지 8일 만에 할례를 받을 것이라"(창 17:12). 최근의 한 연구조사는 신생아가 태어난 지 이틀에서 닷새 사이에 출혈에 감염되기 쉽다는 사실을 발견했다. 피의 응고를 돕는 물질 비타민 K가 7일이 될 때까지는 유아의 기관조직 안에 충분히 형성되지 않는다는 것이다.[3] 얼마나 희한한 "우연의 일치인가!"

하나님은 수십 세기에 걸친 '하만들'과 '히틀러들'의 은밀한 음모들 가운데서도 그분의 백성들 이스라엘을 초자연적으로 지키셨다.

레위기 3장 17절은 "너희는 기름과 피를 먹지 말라"고 기록한다. 이 지침은 세상이 콜레스테롤에 관해서 무엇인가 알기 아주 오래 전 이스라엘에게 선포됐다. "너희가 너희 하나님 나 여호와의 말을 청종하고 나의 보기에 의를 행하며 내 계명에 귀를 기울이며 내 모든 규례를 지키면 내가 애굽 사람에게 내린 모든 질병의 하나도 내리지 아니하리니 나는 너희를 치료하는 여호와이니라"(출15:26). 성병에 관해서도 아무 것도 아는 것 없이 결혼생활이 지켜졌다. 아무도 그러한 질병(AIDS) 없이! 놀라운 약속 아닌가!

오랜 세월에 걸쳐서 하나님은 그분의 백성 이스라엘을 질병만이 아니라 그들의 적들로부터도 초자연적인 방법으로 보호해 오셨다. 제사장 나라로서 이스라엘은 적대적 환경 안에서 끊임없이 살아야 했다. 아브라함에게 지속적인 보호를 확신시키기 위해 하나님은 이상을 통해서 말씀하셨다, "여호와의 말씀이 이상 중에 아브람에게 임하여 가라사대 아브람아 두려워 말라 나는 너의 방패요"(창 15:1).

그분은 이스라엘을 애굽에서의 400년 동안 멸종과 동화로부터 막아주셨고 조국 땅으로 돌아가게 하셨다. 그분은 수십 세기에 걸친 핍박 속에서도 '하만들'과 '히틀러들'의 은밀한 음모들 가운데서 이스라엘을 지키셨으며, 다시 재건시키셨다.

절기들의 기념과 선포

그분의 백성들을 격려하고 그분의 신실하심과 오실 의의 왕을 세상에 선포하기 위해 하나님은 특정한 연례절기들을 지키도록 명하셨다. 이스라엘은 세상의 제사장으로서 그들의 성서적 절기들의 제정 안에서 확고해진 구속의 역사를 열방들에게 알려야 했다.

유월절(Pesach, Passover): 유월절은 애굽의 학대로부터 이스라엘의 구원을 상기시키고, 압제의 공포와 자유의 기쁨에 대한 연례적 기념이었다. 최초의 유월절은 애굽에서 지켜졌다— 어린 양의 피가 유대인 가정의 문설주에 뿌려졌으므로 죽음이 지나갈 수(pass over) 있었고 이스라엘의 장자들을 살렸다. 그 피가 백성들의 죄를 실어가며— "장자"의 나라를 통해서 태어날 구원자를 예시하는 것이다(히 11:28).

세례 요한은 예수님을 "세상 죄를 지고 가는 하나님의 어린 양"(요 1:29)으로 불렀다. 유월절 축제는 이제 출애굽의 기념으로서 뿐만 아니라, 또한 우리에게 오셔서 요한계시록에 묘사된 전 세계적 규모의 궁극적인 유월절/출애굽을 예시하시는- 오직 그 피에 합당한 자들만이 구원 받게 될(계 12:11)- 그 어린 양의 축제다.

무교절(The Hag HaMatzah, Feast of Unleavened Bread): 무교절은 유월절에 시작해서 7일간 지속된다. 예수님은 자신을 광야에 내린 만나에 비교해 "하늘로서 내려온 살아 있는 떡이라 부르시며 누구든지 이 떡을 먹으면 영원히 살리라"(요 6:50, 41,58)고 말씀하셨다. 찔리고, 상하고, 벗기고- 떡 (Matzah)과 예수님에 대한 모든 묘사들이 이사야서(사 53:5,10)와 베드로전서(2:24)에 언급되어 있다. 이 절기 7일 동안 누룩이 들어간 아무 것도 먹어서는 안 된다. 누룩은- 빵을 부풀어 오르게 하는 이스트로, 근절되어야 하는 죄의 상징이며, 이스라엘 자녀들이 애굽을 떠날 때 다급했음을 기억하는 것이다. 그러나 더 깊은 교훈은 이것이다. 우리 모두는 우리의 출발을 고대하면서 준비되어 있는 상태 안에 머물러야 한다는 것이다.

첫 열매절(Bikkurim, The Feast of firstfruits): 첫 열매절은 유월절 후 의미 깊은 세 번째 날이다. 앞으로 올 다른 열매의 선포로서, 하나님 앞에서 곡물 한 다발이 흔들어져야 했다. 바울은 고린도인들에게 예수님이 "죽은 자 가운데서 다시 살아 잠자는 자들의 첫 열매가 되셨다"고 전했다(고전 15:20). 예수님의 부활은 그것을 지켜보는 세상 앞에서 앞으로 올 부활을 말하는, 그 흔들어지는 곡물 한 다발이다.

맥추절(Shavuo, Feast of Weeks, Feast of Harvest/Pentecost): 맥추절(추수축제일)로 알려져 있으며, 하나님의 섭리적인 보살핌을 기뻐하는 절기다. 첫 번째 맥추(Shavuot)는 시내산에서 율법이 주어진 그 시간에 발생했다. 그 율법은 또 다른 율법과 또 다른 추수의 전조였고– 돌판 위가 아니라 인간의 마음에 새겨진 율법이었다(렘 31:33). 성령의 바람이 그 기다리고 있던 제자들의 마음 안에 이 새로운 사랑의 법을– 생명의 법– 새기며 예루살렘에 불어왔을 때, 그 때가 바로 예수님 십자가 처형 50일 후, 성령강림일 아침이었다(행 2:1-4; 롬 8:1,2).

가을 절기들은 나팔절(Rosh Hashanah, Feast of trumpets, 문자적 의미로 'head of the year')과 함께 시작된다. Shofar(트럼펫)가 역년(한해)의 시작을 안내하기 위해서 울려 퍼지면 나팔절로부터 속죄일(Yom Kippur)까지 10일간의 경외(the Ten Days of Awe)가 시작된다. 이것은 우리가 주님의 강림을(고전 15:52; 살전 4:16,17; 계 10:7, 11:15) 공포하게 될 그 나팔소리를 고대하듯, 자기성찰 그리고 자기반성의 시간이

다.

  속죄일(Yom Kippur, Day of Atonement): 속죄일은 이스라
엘 달력의 다른 각각의 절기들과는 다르게 인간의 죄성과 그리
고 속죄의 필요를 의미한다. 이 '속죄의 날' 일찍이 이스라엘
은 제사장들에게 나와 그들의 죄를 고백하고 제사장들은 대제
사장에게 고백해야 했다. 백성들과 제사장들의 고백을 통해서
짐승들이 상징적으로 이스라엘의 죄를 취하고 그 백성들 대신
죽임을 당했다. 대제사장이 그 다음에 속죄제(sin offering)를
위해 염소를 도살하고(레 16:15), 그리고 지성소로 들어갔다.
"대제사장이 피 없이는 아니하나니 이 피는 자기와 백성의 허
물을 위하여 드리는 것이라"(히 9:7).
  이 죄 고백의 전 과정은 두 번째 염소와 함께 반복됐다. 대제
사장이 "두 손으로 산 염소의 머리에 안수하여 이스라엘 자손
의 모든 불의와 그 범한 모든 죄를 고하고 그 죄를 염소의 머리
에 두어"(레 16:21), 미리 정한 사람에게 맡겨 광야로 보내지는
것이었다.
  흥미를 일으키는 과정이다! 한 짐승은 백성들의 죄를 대신해
서 바로 희생됐어야 했고, 그러나 이제 그 '죄들'을 취한 한 짐
승은 광야로 보내졌다. 어떻게 그리 될 수 있었을까? 히브리서
기자는 그 상징 이면의 진리를 알고 있었다. 이 제사는- "해마
다 죄를 생각하게 하는 것이 있나니 이는 황소와 염소의 피가
능히 죄를 없이하지 못함이라"(히 10:3,4).

수천 마리의 짐승들이 매년 도살됐고 각 한 마리는 오셔야 할 어린 양의 예언이었다. 오직 그 분만이- 이 한 분, 죄 없는 분- 인간의 짐을 질 수 있으시며, 그분의 대속을 받아들이는 모든 자들, 모든 아담의 후손의 죄들을 값없이 취할 수 있으시다(사 53: 5,10). 이분이 예수아, 예수 그리스도, 그 메시아였다.

그분의 제자들과의 유월절 마지막 만찬에서 우리의 유월절 "어린 양" 예수님은(우리의 속죄 염소- 이것이 충격적인 생각이라 해도), 그분 자신의 몸과 피로서 떡과 잔을 언급하셨다. "이것은 너희를 위하여 주는 내 몸이라… 이 잔은 내 피로 세우는 새 언약이니 곧 너희를 위하여 붓는 것이라"(눅22:19,20).

지금 이 시대의 신자들은 주의 만찬을 나눌 때 손에 만찬을- 단순한 빵과 포도주- 들고 우리 눈앞의 예수님의 육체와 함께 그 마지막 만찬의 현장에 있는 것이다. 구별된 마음 안에서, 모든 빵 조각들, 모든 포도주 잔들은 우리를 구원하신 그분의 피, 예수아의 몸에 대한 눈에 보이는 기념이 되는 것이다.

속죄일로부터 5일 후, 초막절(Sukkoth, Feast of Tabernacles or booth, 장막절)은 모든 유대인 남자들이 참석하도록 규정된 이스라엘의 주요 3대 절기(유월절, 오순절)의 마지막 절기다. 이때는 추수가 모두 끝날 즈음으로, 백성들은 이 연례절기를 통해서 그들의 광야생활을 지켜주신 것과 잠시 있다가는 이 땅의 집을 생각하고, 특히 풍성한 수확을 지켜주시겠다는 약속을 대대로 기억하며, 매년 8일 동안 초막 (Sukkoth) 안에 신실하게 머무는 것이다. 사도 요한은 말씀이신 예수님이 육신이 되어 "우리 가운데 거하신다 (tabernacled)"고 말한다. 우리의 이 땅의 거주 또한 잠시다. 가장 위대한 "집"- 많은 맨션들이 우리 앞에 놓여 있다!

이방인들은 이러한 유대인식 절기들을 지키도록 요구 받은 적이 없었다. 하지만 우리의 유대인 메시아의 다시 오심을 향해 나아가면서, 점점 더 많은 이들이 우리의 잃어버린 유산들이 회복되기를 바라고 있다.

열방들을 축복함

하나님은 아브라함에게 이 땅의 열방들이 그의 후손들을 통해서 축복을 받으리라고 말씀하셨다. 이것은 놀라운 방법으로 성취되어 왔다. 유대 민족들은 그들의 숫자와는 전혀 어울리지 않게 세상을 축복해 왔다. 유대인의 세계 인구는 오직 1%의 1/4이지만, 1899년 노벨상이 처음 수여된 이래 15%의 노벨상 수상자를 배출해 왔다.[4] 그러나 그 숫자조차도 그들 조국으로부터 쫓겨나거나 죽임 당한 수백만 유대인들을 고려한다면 깜짝 놀랄 만한 숫자다. 세상을 위한 그들의 기여는 참으로 이 지구상에 축복이 되어 왔다. 레슬리 플린(Leslie Flynn)은 그의 책 「What the Church Owes the Jew」에 이렇게 썼다.

만일 어떤 반-유대주의자가 유대인들에 의해서 발견된 모든 시험분석이나 질병 치료법들을 거부하기로 결정했다면, 분명 그것은 자신을 심각한 질병의 주인공으로 노출시키려 한 것이다. 더욱이 조나스 살크(Jonas Salk)의 소아마비 예방용 백신을 거부한다면 그는 또한 알버트 사빈(Albert Sabin) 박사의 백신알약을 거절하는 게 된다. 벨라 쉬크(Bela Schick)에 의해 발견된 티프테리아균의 멸균 시약, 조셉 골드버거(Joseph Goldberger) 박사의 펠라그라 피부병을 멈추게 하기 위한 다이어트 식이요법 혈액의 수혈을 가능케 한 하버드대학의 E.J. 코헨(Cohen) 박사, 그리고 혈청에 의한 매독검사, 바루크 블룸버그(Baruch Blumberg) 박사에 의해 발견된 간암 백신 셀만, 아브라함 왁스맨(Selman Abraham Waxman)에 의해 발견된 항생 물질로서의 스트렙토마이신, J. 본 리빅(Von Liebig) 박사에 의해서 발견된 경련을 위한 엽록수화물, 그리고 카시미르 펑크(casimir Funk) 박사에 의해 발견된 비타민들.

　　미국의 유대인들은 이방인들의 대학 진학률의 두 배나 되는 것으로 집계되었으며, 아이비 리그 스쿨(Ivy League school)의 입학은 다분히 다섯 배에 달하고, 의학, 과학, 법률 그리고 치과의술 분야 등을 대표하고 있다.[5]

　　음악세계 또한 이 같은 유대인 작곡가, 지휘자, 피아니스트, 바이올리니스트 그리고 오페라 가수들이 없었다면 심각하게 축소되었을 것이다. 유진 올만디(Eugene Ormandy), 제임스 레바인(James Levine), 아서 피들러(Arther Fidler), 아이작 스턴(Isaac Stern), 야샤 하이페츠(Jasca Heifetz), 예후디 메누힌(Yehudi Menuhin), 제롬 컨(Jerome Kern), 오스카 햄머스타인(Oscar Hammerstein), 어빙 벌린(Irving Berlin), 조지 거슈윈(George Gershwin), 그리고 아더 루빈스타인(Artur Rubenstein), 폴 사이몬(Paul Simon), 그리고 리처드 로저스(Richard Rodgers), 밥 딜런(Bob Dylan) 등이 유대인 가족들의 이름이다.

이와 유사한 목록들은 철학, 언론, 자선, 정치와 스포츠 분야에서도 넘쳐나고 있다. 존 아담스(John Adams)는 반 데르 켐프(Van der Kemp)에게 보낸 편지에 이 같이 썼다.

> "나는 히브리 사람들이 다른 어떤 나라들보다도 인간을 문명화시키기 위한 더 많은 것들을 해왔다고 단언합니다. 만일 내가 무신론자라도… 최고의, 그리고 뛰어난 지식과 지혜, 우주의 절대적인 주권을 갖춘 교리와 교훈들을- 내가 모든 윤리와 그에 따른 모든 문명의 위대한 본질적인 원칙이라고 믿는- 모든 인류에게 보존하고 번식하기 위한 그러한 기회가 유대인들에게 지시되었다고 믿겠습니다."[6]

프레드릭 대제(Frederick the Great)가 그의 사제에게 하나님을 믿는 한 가지 이유를 물었을 때 그는 이렇게 대답해야 했다 "바로 그 놀라운 유대인들 때문입니다, 폐하."

그토록 자주 억압 받아왔고 조국으로부터 쫓겨났으며, 재산
은 몰수당하고 삶은 위기에 처해 왔으면서도, 이 야곱의 후손
들은 그들이 쫓겨가고 흩어진 나라들 안에서 일관되게 지도자
의 위치에 세워져 왔던 것이다. 반복되는 멸종의 위기 속에서
도 유대인들은 그들을 압제해 왔던 바로 그 백성들을 축복하기
위해 세워져 왔다. 그들의 모든 고난 속에서도, 그들의 제사장
역할은 계속되고 있다.

노트 _____

1. S. I. McMillen, *None of These Diseases*(Fleming H. Revell, 1979), pp. 12-
   16.
2. Ibid, p. 17, 18
3. Ibid, p. 20
4. Leslie B. Flynn, *What the Church Owes the Jew*(Magnus Press, 1998), p.
   1.
5. Ibid, p. 2
6. Rabbi Joseph Telushkin, *Jewish Wisdom*(William Tomorrow & Company,
   1994). p. 498.

제4장

멸종의 표적이 된

용이 해산하려는 여자 앞에서 그가 해산하면 그 아이를 삼키고자 하더니.
요한계시록 12:4

나는 마티 왈드맨(Marty Waldman)이 홀로코스트(유대인 대학살) 생존자의 아들로 성장하는 게 어떠했었는지를 말해 주던 그날을 결코 잊지 못할 것이다. 마티의 부모는 제 2차 세계 대전이 막 끝나갈 무렵 폴란드 강제노동수용소로부터 탈출해 나왔다. 그들은 마티가 태어났던 미국으로의 이주가 보장되기 전 우선 독일로 갔다가 그 다음 오스트리아로 갔다.

마티는 내 앞에 서 있었고 내 뒤에는 하나님이 그에게 유대인의 마음을 주신 독일인 목사 루디 핀케(Rudi Pinke)가 앉아 있었다. 루디는 수치스러운 마음에 어떻게든 유대인 형제자매들을 사랑하기 위한 모든 기회들을 구하고 있었다.

마티는 아직도 그의 가족들에게 영향을 끼치고 있는 고통의 중압감을 설명하면서 눈물에 목 메인 소리로 말했다. "난 폴란드로 돌아가야 한다는 걸 알고 있어요. 언젠가는… 하지만 이제껏 그렇게 할 수가 없었어요."

우리는 그 얘기들을 듣고 나서 루디 목사가 의자에서 벌떡 일어나 마티를 붙잡으려 하는 몸짓에 거의 놀랄 뻔했다. 그는 두 팔로 마티를 껴안은 채 되풀이해 말했다: "내가 너와 함께 갈게 마티! 함께 가, 우리 함께 가는 거야!" 그들은 사랑의 포옹 속에 잠긴 채 그곳에 서 있었다. 유대인의 아들과 독일인의 아들- 앞으로 올 위대한 날들을 미리 보는듯했다.[1]

나는 하나님을 만난 유대 백성들을 만나왔다. 그들 중 에이탄 쉬스코프(Eitan Shishkoff)는 예수아를 만났을 때 뉴멕시코 산맥의 히피 농부였다. 그는 남부 캘리포니아의 동화된 이민생활 안에서 살아가는 것이 어떠했는지 내게 설명했다. 삶에 환멸을 느끼게 되어 실체를 원했지만 그에게 하나님은 멀리 계셨다. 그는 뭔가 느낄 수 있는 것이 필요했다. 그래서 흙과 자연에다 자신을 헌신하여 그 영혼 안에 비교적 평강을 찾게 되었다.

그런데 모든 것이 하루 만에 변해 버렸다. 한 친구의 살해 사건으로 에이탄의 평화로운 공동체가 산산이 부서지고 말았다. 자신의 슬픔을 어디에 두어야 할지 몰랐다. 얼마 안 있어, 두 명의 "Jesus people"(그 당시의 예수쟁이들)이 멀리 떨어진 그의 농장에 나타나 메시아와 그분의 인류 구속사역을 설명했다. 이 젊은 풋내기 증인들이 말하고 있는 동안 그는 십자가에 매달린 유대인 메시아 예수의 이상을 보게 되었고, 레이저 광선처럼 타오르는 빛이 에이탄의 마음을 꿰뚫고 있었다. 그것은 그에게 결코 되돌릴 수 없는 체험이 되었다.

에이탄이 그 이야기를 나눌 때, 유대인들에게 전해진 선지자의 말이 나의 심장을 세차게 두드렸다. "너희가 나를 여호와인 줄 알리라"(겔 36:11). 또다시 나는 눈앞에서 성취되는 예언을 보고 있었다. 에이탄과 나는 그날로 언약의 친구가 됐다— 텍사스 농부 출신과 캘리포니아 유대인, 우리들의 가슴은 영원을 향해 서로 얽히고설키었다.[2]

씨를 멸하려는 음모

유대인과 이방인 간의 깊은 형제애의 이 같은 실례들은 통례적이기보다는 오히려 예외적이다. 반-유대주의는 여전히 인간 역사에 가장 오래 지속되어 온 아주 깊은 증오다. 이러한 적개심은 하나님이 이브에게 그녀의 후손이 원수의 머리를 상하게 할 것이라고 약속하신 동산에 그 시초를(창 3:15) 두고 있다. 이러한 인간 증오의 세력은 후에 아브라함과 그의 후손들에게 집중되었다.

아브라함을 향한 하나님이 부르심은 하나의 혼합된 축복이었다. 유대 민족은 하나님의 초자연적인 보호 아래 생존해 왔지만, 또한 열방들의 분노를 견뎌 내야만 했다. 아브라함을 부르신 그 시간 이후부터 사탄은 이 가문을 종족멸종을 위한 표적으로 삼았다. 사탄이 만일 아브라함의 후손들을 전멸시킬 수 있다면, 이스라엘의 약속된 혈통을 통해서 세상의 구원자를 보내실 하나님의 목적을 좌절시킬 수 있는 것이다.

예수님이 오신 후에도 사탄은 유대 국가를 향한 그의 맹공을 계속 퍼부었다. 사탄은 유대인 메시아가 어느 날, 재건된 유대인 조국과 그리고 그분을 받아들일 준비가 된 유대인, 이방인 모두를 위해서 귀환하신다는 것을 알고 있었다.

한편 그 원수는 이스라엘이 더 이상 하나님의 목적들을 섬길 수 없도록 우상숭배를 통해서 이스라엘을 현혹시키려는 시도를 계속했다. 만일 그대로 된다면, 이스라엘을 열방들에게 동화시켜서 결국엔 열방의 관습들을 받아들이게 되고, 그러므로 세상을 향한 이스라엘의 증거들은 무효가 돼버리는 것이다. 그 악한 영들은 하나님의 택한 백성들에게 몰래 접근하기 위해서 역사의 모든 어둠의 길목마다 잠복해 왔다.

아브라함의 아내 사라의 불임은 그 약속을 유산시키기 위한 사탄의 첫 시도들 중 하나였다. 아브라함과 사라는 하나님이 사라의 90년 된 태를 열 수 있으시다는 것을 믿지 않은 채, 약속된 상속을 보장 받기 위해 하녀 하갈을 대체함으로 그분의 계획을 방해했다. 이 방해의 결과가 이스마엘 자손들과 이스라엘 자손들(무슬림과 유대인)간의 계속된 적대감으로 나타난 것이다. 그러나 하나님은 어떤 도움도 필요치 않으셨고, 바로 그렇게 하리라고 말씀하신 대로 그 후 사라를 통해서 아들을 공급하셨다(창 18:14).

그 아들 이삭은 사촌 리브가와 결혼했을 때 40세였으며 그녀는 20년 동안이나 아기를 갖지 못했다. 이삭은 기도했고 하나님이 듣고 응답하시자 리브가는 쌍둥이 에서와 야곱을 낳게 되었다.

하나님이 야곱의 가문을 약속의 백성으로 택하신 그 시간부터 동산의 그 보이지 않는 원수는 그들을 제거하기 위해 많은 사건과 상황들을 지휘해 왔다. 만일 사탄이 이 한 가문만 제거할 수 있었다면, 이 땅의 모든 백성들은 아브라함과 그의 후손들을 통해서 축복받지 못했을 것이다. 그분의 말씀은 틀린 것으로 입증될 것이며 아담의 자녀들은 영원히 아버지 하나님으로부터 분리되는 것이다.

이미 야곱의 친족 가운데 우리는 그 전투의 발단을 본다. 그 가문을 다 쓸어버릴 수 있었던 기근이 그 땅에 몰려왔다. 그러나 하나님은 요셉을 애굽으로 보내셔서 그들을 위한 피난처를 준비하셨다. 주님은 요셉의 형제들의 시기조차도 그분의 선하신 목적을 위해서 사용하셨다. "당신들이 나를 이곳에 팔았으므로 근심하지 마소서 한탄하지 마소서 하나님이 생명을 구원하시려고 나를 당신들 앞서 보내셨나이다. 하나님이 큰 구원으로 당신들의 생명을 보존하고 당신들의 후손을 세상에 두시려고 나를 당신들 앞서 보내셨나니"(창 45:5,7).

고센 땅에서 하나님이 그들에게 축복을 부어주시자 이 남은 자들은 환대를 받았다. 그러나 이스라엘 자손들의 숫자가 많아지는 위태함을 깨닫게 된 바로 왕이 결국 일어났다. 그가 이스라엘의 모든 아들들을 죽일 수 있다면 이 인종은 곧 애굽 문화 안으로 동화되어 잊혀지는 것이다. 이러한 포고령은 바로에게서 나온 것처럼 보이지만 사실은 훨씬 더 사악한 힘이 도사리고 있었다. 폭군의 잔혹한 애굽 정권 아래서 이스라엘의 자녀들은 포로가 되었다.

이어진 세월들 속에서 구원의 기적들은 계속됐다— 홍해에서, 광야에서, 요단강을 건너며, 여리고와 그 밖의 다른 도시들에서— 모두 이스라엘의 운명을 생각나게 하는 사건들이다.

마침내 약속의 땅으로 돌아왔지만, 하나님이 그들의 두 번째 왕 다윗을 "그 씨"를 품는 자로 택하시기 전에 이스라엘은 우상숭배와 회개라는 400년간의 순환기를 겪게 된다. 메시아는 "다윗의 자손"이 되어야 했고, 그러나 그날 이후부터 이스라엘 국가뿐만 아니라 이제 특히 다윗의 족보는 사탄의 계략의 집중적인 핵심이 되고 말았다.

　나라는 곧 두 왕국으로 갈라졌다- 지파의 대다수가 북쪽에 새 나라를 세우기 위해 끊어진 것이다. 그 다음 두 세기 동안 아홉 왕조가 그 나라를 통치했으며, 작은 남 유다 왕국에는 다 윗의 후손들이 왕위에 있었다. 다윗의 집을 멸망시키려는 수많 은 전쟁들과 수많은 시도들이 있었지만 그 어떤 시도도 성공하 지 못했다. 하나님이 그분의 약속을 지키고 계셨다.

　육 년이라는 짧은 기간 동안은 마치 원수가 승리한 것처럼 보였다. 어린 왕 아하시야(그의 외삼촌, 북 이스라엘 왕 아하시 야와 동일한 이름)가 전투에서 살해됐다. 그러자 우상숭배로 유명한 아합과 이세벨의 딸로 그의 모친인 아달랴가 일어나, 왕의 아들들을 모두 죽이고 유다의 왕위 강탈에 착수했다. 그 녀는 거의 다 해치워 버렸지만, 그런데 단지 한 살밖에 안 된 요아스가 살아 있었다. 아하시야 왕의 누이가 육 년 동안 숨겨 두었던 것이다. 일곱 살 되던 해 그는 숨겨졌던 곳에서 나와 제 사장에 의해서 유다의 왕으로 선포되었다(왕하 11). 요아스가 아들을 갖게 되었을 때까지 하나님의 모든 약속들은- 동산에 서 이브에게 주어진 약속, 아브라함에게 주어지고 이삭과 야곱 에게 다시 갱신된 언약, 다윗에게 주어진 맹세- 그 어린 몸 안 에 남아 있었다. 만일 요아스가 죽임을 당했다면, 하나님은 실 패를 입증 당해야 하셨겠지만 그분은 초조해 하지 않으셨다. 그분은 약속을 세우실 뿐만 아니라 그 약속을 지키시는 자다.

이어진 수세기 동안 열방들마다 유대 민족을 공격했고 국외 세력들이 예루살렘을 지배했다. 바벨론, 페르시아(바사), 그리스, 그리고 로마 모두 그들의 날들이 있었다. 그 당시 이 갈등의 나라는 생존하지 못할 것처럼 보였다.

B.C. 5세기 페르시아의 "히틀러" 하만은 그의 날들 안에 유대인 멸종전략을 계획했다. 그러나 그 민족의 구원에는 한 젊은 유대 여인, 왕비 에스더가 있었다. 그녀의 이야기는 에스더서에 기록되어 있으며 매년 부림절(the Feast of Purim)마다 전 세계 회당들에서 재 선포된다.

이백 년이 지난 후 그리스 통치자 안티오쿠스 에피파네스(Antiochus Epiphanes)가 예루살렘을 감독했다. 그는 유대인을 그리스화(hellenize)하려는- 그리스 문화에 동화시키기 위한 시도- 실제 신성모독의 한 방편으로 가축용 돼지를 성전에 들여보냈다.

주다스 매커비어스(Judas Maccbaeus: 유대인 애국자)는 이러한 이방 침략에 대항하여 성전을 정결케 하고 새 번 제단을 봉헌하여 이스라엘에 하나님의 예배를 되돌려왔다.[3] 이 사건은 매년 하눅카(Hanukkah) 축제로 기념되며 신약에는 수전절(Feast of Dedication)로 기록되어 있다(요 10:22).

이 제사장 가문을 멸족시키려는 모든 수고들은 결국 고갈됐고 하나님의 타이밍은 탄생되어야 할 메시아를 위해서 올바로 돌아가고 있었다.

시간의 성취 안에서

이브가 동산에서 구원자에 대한 하나님의 약속을 들은 후 사천 년… 아브라함에게 하신 하나님의 언약 후 이천 년… 다윗의 혈통이 선택되어 온 후 천 년, 한 천사가 나사렛의 한 유대인 소녀에게 나타났고 한 아기가 잉태되었다. 미리암(마리아의 히브리 이름)과 그녀의 약혼자 요셉은 둘 다 선지자들이 예견했던 대로 아브라함, 이삭, 야곱 그리고 다윗의 후손이 된 것이다. 정확히 예정된 시간에 한 아기가 탄생했다.

예수님의 생애 동안에도 그 전투는 맹위를 떨쳤다. 다시 또다시 사탄은 '왕의 왕'을 살해하려 했다— 베들레헴의 장자 학살, 광야의 시험(에덴동산의 유혹과 흡사, 이 "두 번째 아담"을 사단의 지배권 아래 두려는 시도), 그리고 최후에는 십자가 위에서.

빌라도 역시 공허한 협박만 날릴 뿐이었다. "내가 너를 놓을 권세도 있고 십자가에 못 박을 권세도 있는 줄 알지 못하느냐?" 그가 조소하듯 말하자 예수님이 답하셨다. "위에서 주지 아니하셨다면 나를 해할 권세가 없었으리니"(요 19:10,11). 며칠 앞서서 예수님은 제자들에게 그 사실을 확신시키셨다. "나는 양을 위하여 목숨을 버리노라. 이를 내게서 빼앗는 자가 있는 것이 아니라 내가 스스로 버리노라"(요 10: 15,18).

원수는, 예수의 탄생, 그분의 성취된 삶 그리고 그분의 부활을 막기 위해서 그의 무기고 안에 있는 모든 무기들을 사용했지만- 모든 것이 다 허사였다. 메시아가 탄생했을 뿐 아니라 그분께 주어진 사명 또한 다 이루셨다. 그분은 세상 죄를 위해서 자신의 생명을 주셨다. 예수님의 죽음은- 선조들에 의해서 예언된- 아버지의 뜻에 순종하는 자발적 행위였다. "그가 찔림은 우리의 허물을 인함이요 그가 상함은 우리의 죄악을 인함이라 그가 징계를 받음으로 우리가 평화를 누리고, 여호와께서 우리 무리의 죄악을 그에게 담당시키셨도다(사 53:5,6). 사명은 성취되었다!

이제 원수의 전략수정이 불가피해졌다. 예수님의 제자들이 무덤에 와서 그 분의 시체를 도적질해 갔다는 소문이- 마치 그분이 죽음에서 부활하지 못한 것처럼(마28:12-15) 퍼져 나갔다. 그분의 친구들에게, 무덤 앞 여인들에게, 엠마오 가는 길 제자들과 한 번에 오백 명이 넘는 증인들에게 보이셨음에도(고전15:6), 그리스도의 육체적 부활에 대한 공격은 오늘날까지도 여전히 격렬하다. 수세기에 걸쳐 신학자들이 부활에 대한 모든 종류의 이론과 학설들을 전파해 왔다. 우리 영혼의 원수는 바울 또한 알고 있었던 "그리스도께서 만일 다시 살지 못하셨으면 우리의 전파하는 것도 헛것이요 또 너희 믿음도 헛것이며"(고전 15:14)를 잘 알고 있다. 그리스도가 다시 사신 게 아니었다면 사단에겐 얼마나 대성공이었겠는가!

그러나 메시아는 오셨고 죽으셨고, 죽음에서 다시 살아나 하늘로 오르셨다. 그분의 삶은 하나님의 주권적인 권능을 통해서 확증되어 왔다.

논쟁은 계속되고

왜 현재 모든 전선 위에 반-유대주의가 지속되는가? 왜 사
탄은 여전히 유대인에 대한 증오를 선동하려 하는가? 왜 사탄
은 지금 이스라엘을 하나의 종족으로서 말살해야 할 필요가 있
는가? 이스라엘은 왜 세계 도처에서 매 세기마다 핍박의 표적
이 되어 왔는가?

그것은 많은 크리스천들이 발견하지 못한- 만일 사탄이 이
스라엘의 멸망에 성공하면 하나님의 약속이 실현되지 못한다
는 것을, 보이지 않는 강한 세력들이 알고 있기 때문이다. 선지
자들은 이스라엘의 조국으로의 귀환에 대해서 말해 왔다. 이사
야는 이스라엘의 눈이 영원히 감겨진 채로 남아 있지 않으리라
고 증거했고(사 6), 바울은 "온 이스라엘이 구원을 얻을" 날이
올 것이라 확신했다(롬 11:26). 예수님도 예루살렘에서 유대인
들이 그분을 환영할 때를 고대하셨다(마 23:39). 스가랴도 여
호와께서 이스라엘에게 은혜와 간구의 영을 부어 주실 때와 그
분이 이스라엘에게 자신을 나타내실 때를 보았다(슥 12:10). 이
같은 일들은 유대인들이 존재하기를 멈춘다거나 그들의 정체
성을 잃기 조차라도 한다면 일어날 수 없다. 그러나 이 민족과
그들 국가의 정체성이 보호받는 것은 하나님의 계획의 본질이
다. 성취의 시간들이 다가오면서 사탄의 분노는 극심해질 것이

다(계 12:12).

왜 사탄은 여전히 유대인에 대한 증오를 선동하려 하는가? 그
것은 많은 크리스천들이 발견치 못한- 만일 사탄이 이스라엘의
멸망에 성공하면 하나님의 약속이 실현되지 못한다는 것을 그
원수는 알고 있기 때문이다.

　　기억하라, 바울은 그의 이방인 개종자들에게 하나님이 이스
라엘과 끝나지 않으셨음을 확인시켰다. 그는 이방인들이 오만
해질 것을 경고하며 그들이 이스라엘의 감람나무에서 접붙여
졌음을 상기시켰다. 그는 유대인의 뿌리로부터 오는 영적인 진
액을 말하며, 그들이 빼앗은 이스라엘 장자권의 뿌리 없이 이방
인 교회는 온전한 의미에서 거룩해질 수 없다는 것을 지적했다.
그는 이방인들이 그들의 믿음을 통해서 유대인들을 시기하도록
만든 것을 말해 주었다(롬 11).

　　그럼에도 이방인 교회는 유대인들을 보호하는데 실패했을
뿐 아니라 오히려 종종 이스라엘의 박해에 참여했고 심지어는
주도까지 했다. 왜? 그 원수는 속이는 자며, 교회는 속아왔다.

　　이방인 교회의 역사 초기, 지도자급 학자들은 유대인을 향해
등을 돌리기 시작했다. 존 크라이소스톰(John Chrysostom)

은 3세기 후반 4세기 초에 8가지 "유대인을 향한 훈계들"을 썼다. 그는 유대인들의 성품을 잔인하고, 탐욕스럽고, 부도덕하고, 악의적인 범죄자로 심하게 비난했다. "나로 말하면 유대인 회당도 싫고… 난 유대인들을 증오합니다."4)

15세기 스페인의 이단 심문기간 동안, 수천 명의 유대인들을 추방하고 고문하고 죽인 사람들은 스페인인 "크리스천" 통치자, 페르디난드(Ferdinand)와 이사벨라(Isabella)였다.

위대한 개신교 신학자이며 개혁자 마르틴 루터(Martin Luther)는 그의 생을 마칠 때까지 유대인을 몹시 증오했다.

> "그들의 회당은 불에 타야 하고… 그들의 가정도 마찬가지로 깨지고 파괴돼야 한다… 그들의 기도 책과 탈무드는 빼앗아… 랍비들은 더 이상 가르치지 못하게 죽음의 협박을 해서 금지시켜야 하고… 여권과 여행의 특전도 완전 금지하고… 젊고 강한 유대인 남자들과 여자들은 도리깨, 도끼, 괭이, 삽, 실 짜는 물레 등을 주어서, 땀 흘려 일한 만큼만 빵을 먹도록 해야 한다."5)

독일의 저명한 신약학 학자 게르하르트 키틀(Gerhard Kittle)은 1933년 「Jewish Question」이라는 책을 출판하여 부르짖었다. 유대인은 자신들 운명대로 "이 지구표면 위에 집 없고 쉴 곳 없이" 방황해야 하는 2등급 시민으로서 마땅히 차별대우와 명예훼손 등을 받아들여야만 한다.6)

대학살은 그 기원을 러시아나 폴란드 같은 그러한 "크리스천" 나라들 안에 두고 있다. 유대인 대학살의 기원과 관련된 오스트리아, 독일 등 크리스천 국가들의 교회 문서들에는 정식으로 침례 받고 안수 받은, 소위 크리스천이라는 사람들로 가득차 있었다.

교회는 마치 원수들 손안의 저당물처럼 속아왔다. 사탄이 오직 유대인들을 멸족시킬 수 있거나 이미 오신 메시아에 대한 계시를 막으려면, 멸종의 성취를 위해서 바로 예수의 추종자라고 주장하는 그들을 사용하는 것보다 더 효과적인 방법이 어디 있겠는가! 아니면 동화시켜서라도! 유대인들이 "집으로 돌아오지" 못하는 한 하나님의 계획은 지연될 것이니 말이다.

예레미야 선지자는 말했다, "보라 때가 이르리니 내가 다윗에게 한 의로운 가지를 일으킬 것이라 그가 왕이 되어 지혜롭게 행사하며 세상에서 공평과 정의를 행할 것이며 그의 날에 유다는 구원을 얻겠고 이스라엘은 평안히 거할 것이며"(23:5,6). 이 예언은 메시아의 첫 번째 오심에 그 부분적인 성취를 두고 있으며, 그 마지막 성취는 머지않아 올 것이다. 이스라엘은 아직 안전하게 살지 못하고 있다.

예수님은 예루살렘의 유대인 지도자들에게 오직 그들이 그분을 받아들일 때 돌아오리라 말씀하셨다(마 23:38,39). 예수님의 그날 말씀에 따르면, 아주 주목할 만한 수의 유대 백성들이 조국으로 돌아올 것이며, 그분의 귀환 전에 그분을 받아들이게 될 것이다.

예수님의 승천 후 10일, 그분의 약속을 성취로 성령이 그 모여 있던 제자들에게 임했다. 그날 수천 명이 믿기 시작했다. 처음엔 삼천 명(행 2:41) 그 다음에 오천 명(4:4)- 단지 남자들만의 숫자였다. 그 다음 베드로가 모여 있는 믿는 무리들에게 말했다. "그러므로 너희가 회개하고 돌이켜 너희 죄 없이함을 받으라 이같이 하면 유쾌하게 되는 날이 주 앞으로부터 이를 것이요 또 주께서 너희를 위하여 예정하신 그리스도 곧 예수를 보내시리니 하나님이 영원 전부터 거룩한 선지자의 입을 의탁하여 말씀하신바 만유를 회복할 때까지는 하늘이 마땅히 그를 받아두리라"(행 3:19-21).

선지자들이 예견했던 "모든 것들"의 회복은 여전히 와야 한다. 이것이 베드로가 말했던 미래의 날이었다.

선지자들을 통해서 무엇이 약속되었는가? 이스라엘은 모든 나라들로부터 다시 모이게 될 것이며(렘 16:14-16); 그들이 눈을 뜨게 되며(사 35:5; 행 26:18); 하나님을 알기 위해서 나올 것이며(겔 37:12,13); 이스라엘은 여전히 열방들의 빛이 될 것이며(사 60:1-3); 열방들의 부가 이스라엘에게 올 것이며(사 60:5,11); 유대인과 이방인이 메시아 안에서 평화롭게 함께 거하게 될 것이다(사 66:19-21).

마티와 루디 에이탄과 돈 핀토, 유대인과 이방인. 메시아 안에서 함께 아마도 점점 더, 하지만 지금도 일어나고 있다!

비록 멸종의 표적이 되었어도 하나님의 제사장 백성들은 여전히 살아 있다. 열방을 향한 이스라엘의 축복은 번성한다. 이스라엘 가문의 후손들과 접붙임으로 심겨진 자들은 하나님의 신실하심의 선포로서, 이상한 듯하지만 하나의 놀라운 결합이다.

어디에서- 그리고 어떻게- 그것이 모두 시작되었는가?

노트

1. 마티 왈드맨은 오늘날 메시아닉 유대인 공동체의 리더들 중의 한 사람이다. 그는 미국에서 'the Union of Messianic Jewish Synagogues'의 대표로 섬겨왔으며, 텍사스 댈러스의 회중교회 'Baruch HaShem'의 영적 리더이다.

2. 에이탄 쉬스코프는 현재 이스라엘 하이파 북부 Kryot, Ohalei Rachamin(Tents of Mercy)의 영적 리더로 섬기고 있다.

3. 주다스 매커비어스, 그의 이름은 불멸의 명성으로 「Book of Maccabaees」에 기록되었으며, 통치자 안티오쿠스 에피파네스를 대항하여 성전을 정결케 한 유대인 애국자이다.

4. Michael Brown, *Our Hands Are Stained with Blood*.(Destiny Image, 1992), p. 11, quoted in Malcolm Hay, The Root of Christian Anti-Semitism (Liberty Press, 1981), p. 27.

5. Ibid, pp. 14, 15.

6. Ibid, p. 15.

초기의 유대인 "교회"

이는 구원이 유대인에게서 남이니라
요한복음 4:22

　뉴욕의 유대인 쉬무엘 수란(Shmuel Suran)이 'B'rit
hadashah' - 신약성경의 첫 장을 펼쳤을 때 그는 자신이 본
글을 받아들일 준비가 되어 있지 않았다.
　"아브라함과 다윗의 자손 예수 그리스도의 세계라."
　"오 하나님! 그가 유대인이었다니요!" 그 깜짝 놀랄 문장은 쉬무엘로 하여금 수세기 동안 유대인들을 헐뜯기 위해 사용됐던 그 이름 예수가 참으로 다윗의 성 베들레헴, 이스라엘 태생의 유대인이었음을 입증하기 위한 탐구에 들어가게 했다. 바로 선지자들이 예언했듯이, 그가 메시아였고, 이스라엘의 메시아라니!

20년이 넘은 지금, 쉬무엘은 다른 이들의 눈이 열려 동일한 계시를 받도록 기도하면서 예루살렘에서 예수아 신자들의 밴드를 이끌어왔다.[1]

얼마나 이상하게 왜곡된 예수아의 믿음이 지난 20세기 동안 있어 왔는지. 유대인 가문의 설립자들 아브라함, 이삭, 야곱에게 약속이 주어졌고 후에 다윗 왕에게 갱신된 그 약속은 그들의 후손 중 하나가 열방을 영원히 통치하리란 것이었다(창 28:14; 삼후 7:16). 예수아는 모든 세부적인 면에서 선지자들의 설명에 들어맞았고, 수천수만의 유대인들에게 메시아로 환영 받으셨다. 나라의 많은 지도자들이 그분을 거부했지만, 뜻 있는 제사장들과 그 외의 지도자들은 그분을 받아들였다(요 19:38,39; 행 6:7).

그분의 삶의 모든 측면에서 철저히 유대인이었다: 그의 할례, 토라 연구— 12세에 자신의 성경지식으로 성전 지도자들을 난처하게 만들었다(눅 2:47)— 절기에 따른 연례 예루살렘 순례, 안식일 준수. 가르침, 대화에서도 마찬가지로 그분은 항상 모세오경과 예언서들을 인용하셨고, 십자가 위에서 숨이 넘어갈 때조차도 다윗의 시편을 말씀하셨다(마 27:46; 시 22:1).

그분은 전 생애를 유대인들과 함께 보내셨다. 다만 드문 경우 언약에 속하지 않은 이들과의 교류가 있었을 뿐, 어느 날 비유대인 여인이 그분에게 다가왔을 때 "나는 이스라엘 집의 잃어버린 양 외에는 다른 데로 보내심을 받지 아니하였노라"(마 15:24)고 말씀하셨다.

그분의 죽음은 이방인들의- 로마 병정들, 빌라도, 헤롯- 개입 없이 일어나지 않았다. 그러나 십자가 둘레에 있던 이들의 대부분은 그분의 공생애 사역 3년 동안 지켜보며 쫓았던 유대인들이었다.

부활의 아침 무덤에서 천사를 보고 '두려워했던' 로마 병사들을 제외하고는 유대인들이었다. "수직하던 자들이 저를 무서워하여 떨며 죽은 사람과 같이 되었더라"(마 28:4). 40일간의 부활의 출현? 유대인들. 산 위에서의 승천? 다시 유대인들- 오직 유대인들. "그 선물"을 기다리던 다락방의 120명? 그들 모두 다 아브라함의 아들과 딸들이었다.

오순절 아침은 어떠했나? 성령을 받은 이들은 유대인들이었다. 그리고 베드로는 선지자 요엘과 다윗 왕을 예수님의 출현의 증인으로 내세웠다. 이 예수님이 "주님이며 메시아이시다"(행 2:36).

유대 신앙의 성취

새롭게 세례 받은 삼천 명의 신자들, 곧 오천 명 이상으로 늘어난 그들은 하나의 새로운 종교를 발견한 것이 아니었다. 그들을 구원하시고 궁극적으로는 그들을 통해서 온 세상을 구원하시기 위해 오시리라고 그들의 선조들에게 약속을 세우신 참 하나님 안에서, 단지 오랜 세월에 걸친 믿음의 성취를 살고 있던 것이다.

이 새 신자들은 안식일을 지키고, 할례와 토라를 준수하며 절기를 지키는, 이제 그 모든 삶에 의미를 가져다주신 그 분, 예수님을 기뻐하는 유대인들이었다. 그들이 예수아를 믿었을 때도 이러한 관습들 어느 것도 멈추지 않았다. 여전히 그들은 성전에 항상 모였고(행 2:46; 5:12), 정기적인 기도 시간에 늘 참석하며(행 3:1) 그들의 믿음을 금하려는 산헤드린 공회에 불려간 후 조차도 날마다 계속 성전에 머물렀다(행 5:42). 사도 바울에게 세례를 주었던 아나니아는 "율법을 지키는 경건한 자"였다(행22:12).

하지만 구원은 율법을 준수하는 것으로 얻어 지지 않는다. 그것은 메시아의 대신하신 죽음을 통한 하나님의 값없는 선물이다. 그들은 이제 이사야가 왜 "고통"을 아는 자(사 53:3)로 그분을 표현했는지 이해할 수 있었다. 절기와 제사들도 큰 의미를 담고 있었다. 유월절과 오순절, 속죄일 그리고 나팔절은 더 이상 시내산의 돌 판에 새겨진 고대의 거룩한 법이 아니라, 오히려 유월절 어린 양으로 오신 메시아에 대한 인식, 그리고 우리의 마음 판에 새겨진 율법이었다. 예레미야가 예견했던 것처럼- 하나의 "새 언약"이다(렘 31:31-33).

이것은 하나의 새 종교가 아니라 가득(full) 채워진(filled)-유대신앙의 성취(fulfilled)였다. 이 신자들은 크리스천(그리스도인)이란 이름으로 불려지길 꺼려했다. 안디옥 교회 때까지(행 11:26) 예수아 신자들은 늘 그리스화 된 풍조에 익숙했다("크리스천"이라는 용어는 메시아의 그리스어 'christos'(크리스토스)로부터 왔다). 그들은 나사렛에서 온 사람을 쫓았다고 해서(행 24:5) "나사렛파"(Nazarenes)로 불려졌으며, "그 도에 속한 자들"로도 불려지고(행 9:2,) 어떤 이들은 그들을 단지 유대신앙의 또 다른 종파로(행 28:22) 보기도 했다. 더둘로(Tertullus)는 벨릭스(Felix) 총독 앞에서 바울을 고발할 때 그를 "이단 나사렛 종파의 주동자"로 불렀다(행 24:5). 그러나 "크리스천"이라는 용어는 미래의 날들을 위해서 예비되었다.

욥바의 가죽장사 집 다락방에서 베드로의 이상과 바울의 다메섹 도상의 대면은 매우 중대한 변화들을 가져왔다. 이방인들이 그 가족들 안에 환영 받기 시작했다. 그리고 그들은 인정받기 위해서 유대인이 되지 않아도 됐다.

이것은 오랫동안 자신들을 이방인들과 엄격히 분리시켜 왔던 백성들에게는 매우 혼란스러웠다. 예루살렘 공회가 소집됐고 그들 중에는 이러한 계시에 맹렬히 반대하는 이들도 있었다. 바리새파 신자들 중에는 "이방인들도 반드시 할례 받아야 하고 모세의 율법을 지키라고 명해야 한다"고 단호히 주장하는 이들이 있었다(행 15:5).

결정에 앞서, 격렬한 토론들과 많은 논쟁들이 있었다. 할례와 율법 준수는 이방인들에게 반드시 필요한 것은 아니었지만, 유일하신 참 하나님의 믿음에 상반되는 이방의 관습과 전통 그리고 용납하기 어려운 윤리상의 문제들을 버리는 것에 극히 신중해야 했다(행 15:19-21). 결국 이방인들도 끼워준 것이다.

신자들에 대한 지체의 윤곽이 급속한 변화를 가져오기 시작했다. 많은 그리스인의 이름들이 신자 명부에 더해졌다. 가이오(Gaius), 아리스다고(Aristarchus), 드로비모(Trophimus), 데오빌로(Theophilos) 그리고 안디옥, 에베소, 로마와 같은 도시들은 팽창하는 가족들로 곧 영향력의 중심지가 되었다.

바울의 여행 동반자들 중에는 유대인도, 그 중에는 그리스인도 있었다. 유대인 어머니와 그리스인 아버지를 둔 디모데는 바울 팀에 합류하기 전 할례를 받았다. 또 한편으로는 완전한 그리스인이었던 디도에게는 그와 같은 요구가 없었다.

유대인들과 이방인들은 함께 사는 것을 처음으로 배우는 중이었다. 그러나 예수님의 유대인 추종자들은 어떠했는가? 그들은 아브라함의 순수 혈통으로서 그들의 정체성에서 이제 홀가분해진 것인가?

언제나 유대인

바울의 특별한 임무는 이방인들에게 있었다(행 9:15). 하지만 그는 유대인들을 향한 자신의 열정을 결코 잃지 않았고 남은 생애 동안에도 유대인들을 지켜 보는 자로 남아 있었다. "나의 형제 곧 골육의 친척을 위하여 내 자신이 저주를 받아 그리스도에게서 끊어질지라도 원하는 바로다 저희는 이스라엘 사람이라 저희에게는 양자 됨과 언약들과 율법을 세우신 것과 예배와 약속들이 있고… 형제들아 내 마음에 원하는 바와 하나님께 구하는 바는 이스라엘을 위함이니 곧 저희로 구원을 얻게함이라"(롬 9:3,4 10:1). 그는 이방인 교회들이 복음은 여전히 "첫째는 유대인에게"(롬 1:16)임을 알게 하는데 신중했다. 새도시에 들어갈 때 그의 첫 번째 방문은 언제나 그 지역 회당이었다— 살라미, 비시디아 안디옥, 이고니온, 데살로니가, 베뢰아, 아덴, 고린도 그리고 에베소(행 13:5,14; 14:1; 17:2,10,17; 18:4; 19:8).

로마의 감옥에 갇혀있을 때조차도 바울은 "유대인 중 지도자들을 청하여 모이게 한 후 아침부터 저녁까지 강론하며 하나님 나라를 증거하고 모세의 율법과 선지자의 말로 예수에 대하여 확신시켰다"(행 28:17,23). 어떤 이들은 그의 말을 받아들였고 어떤 이들은 받아들이지 않았다. 바울은 믿으려 하지 않는 형제들에게 이제 그가 특별히 보내심을 받은 이방인들을 향하는데, "저희는 또한 들으리라"(28:28)고 말했다.

비록 바울이 구원은 메시아 예수아의 완성된 사역을 통해서만
이라고 엄밀히 선포했다 할지라도, 그는 성취된 율법과 예언들
의 평생 준수자였다.

예루살렘은 언제나 그의 심장 안에 있었다. 누가는 바울이
긴 여행 중에도 지체치 않고 "될 수 있는 대로 오순절
(Shavout) 안에 예루살렘에 이르려고 급히 가려 했다"(행
20:16)고 전한다. 비록 바울이 구원은 메시아 예수아의 완성된
사역을 통해서만이라고 엄밀히 선포했다 할지라도(롬
3:21,22) 그는 성취된 율법과 예언들의 '평생 준수자'였다. 자
기 생의 끝이 가까워지자, 예루살렘에서 로마인 천부장에게
"나는 유대인"이라고 말했다(행 21:39). 그는 산헤드린 공회에
서 "나는 바리새인이다"라고 상기시켰으며(행 23:6), 가이사
재판에서 펠릭스 총독에게도 "나는 저희가 이단이라 하는 도를
좇아 조상의 하나님을 섬기고 율법과 및 선지자들의 글에 기록
된 것을 다 믿는다"고 말했다(행 24:14). 베스도 왕에게는 "가
로되 유대인의 율법이나 성전이나 가이사에게나 내가 도무지
죄를 범하지 아니하였노라"(25:8)고 선포했다. 그는 로마에 있
는 그의 유대인 형제들에게도 "여러분 형제들아 내가 이스라엘

백성이나 우리 조상의 규모를 배척한 일이 없는데 예루살렘에서 로마인의 손에 죄수로 내어준바 되었으니"(행 28:17)라고 말했다.

그런데도 한 사람의 유대인으로서 그의 충실성은 끊임없는 질문거리였다. 예루살렘으로 돌아오자마자 바울은 그가 사람들을 모세로부터 돌아서게 했고 유대인 신자들에게 그들의 아이들을 할례 하지 말고 유서 깊은 관습과 전통을 따라 살지 않아도 된다고 말했다는 소문을 접하게 된다. 그가 여전히 토라의 준수자인 것을 입증하기 위해 바울은 서약을 했다. 그는 다른 형제들의 비용까지 지불해 가며 결례 의식을 행함으로 그런 소문이 사실이 아니었다는 것과, 그가 진실로 여전히 율법에 순종하며 살고 있다는 것을 모든 사람들이 알게 했다(행 21:21-24).

어떤 이들은 바울이 단지 예루살렘 유대인들 가운데 평강을 유지하려고 이렇게 행한 것 아니냐고 의심했다. 만일 그게 사실이었다면, 그것은 바울을 예루살렘에 있는 동안에는 이렇게 행동하고 에베소에서는 달리 행동하는 그러한 위선자로 만들어버리는 것이다. 그러나 분명 사실이 아니라면, 이 깊은 신념의 사람은 어떤 다른 문화나 유대인의 토라 문화조차도 다른 이에게 강요한 것이 아닌 것이다. 그는 비록 끝까지 토라를 준수하는 자였음에도 불구하고 구원은 메시아의 완성된 사역을 통해서만 이루어진다는 것을(갈 2:16) 역설했다.

사도 야고보는 예루살렘에서 바울에게 서약을 권할 때 [바울]이 "선을 [벗어나지 않고] 토라를 지켰음에" 매우 긍정적이었다(행 21:24).[2] 오늘날 남아 있는 자들 중의 하나인 러스 레스닉(Russ Resnik)은 말한다. "바울은 이 서약을 지켰다, 그것은 타협에서가 아니라 토라를 지킴으로 하나님을 공경하는 참된 마음의 소원에서였다."[3] "바울은 여전히 토라를 순종하며 살았지만, 그는 토라(율법) 아래 있지 않았다."[4]

우리의 유대인 메시아

바울은 비록 그가 "그리스도는 율법의 마침이 되신다"(롬 10:4)고 말했음에도 불구하고 율법을 매우 주장했다. 마침? 어떻게? 그는 "율법은 거룩하다"(7:12)고 말했다. "율법이 죄냐? 그럴 수 없느니라! 율법으로 말미암지 않고는 내가 죄를 알지 못하였으니 곧 율법이 탐내지 말라 하지 아니 하였더면 내가 탐심을 알지 못하였으리라"(7:7), "이로 보건대 율법도 거룩하며 계명도 거룩하며 의로우며 선하도다"(7:12), "그런즉 우리가 믿음으로 말미암아 율법을 폐하느뇨 그럴 수 없느니라 도리어 율법을 굳게 세우느니라"(3:31).

예수님 자신도 "율법이나 선지자나 폐하러 온 것이 아니라 완전케 하려 함이라"(마 5:17)는 점을 분명히 하셨다. 그러나 율법으로는 결코 의인을 만들 수가 없었다. 율법의 "의의 요구"가 이루어질 수 있는 것은 오직 성령을 통해서다(8:4).

그러면 바울이 "그리스도는 율법의 마침이 되신다"고 말한 것은 무엇을 의미하는가? 아마도 메시아닉 유대인 학자 데이비드 스턴(David Stern)이, 이 구절에 관한 그의 해석에서 그 점을 분명히 한 듯하다. 그는 여기에서 마침(end)으로 번역된 그리스어 *"telos"*는 "completion, aim, purpose, goal, outcome, consummation"으로도 동등하게 번역될 수 있음을 지적하며 "토라에서 추구하는 목표는 메시아"라고 썼다.[5] 그리스도는 율법의 완성(completion), 목표(goal), 목적(purpose), 지향(aim), 달성(consummation)이다!

그러면 이것이 유대인화(Judaizing)였나? 바울의 율법 준수는 유대인화였나? 아니다, 바울은 이방인들에게 유대인처럼 행하라고 요구하지 않았다. 유대인화 된 이들은 할례와 율법준수가 의에 이르는 수단이라고 주장하거나, 이방인들도 유대인 율법을 지키라고 주장했던 사람들이다. 메시아의 완성된 사역은 유대인과 이방인 모두 다를 위한 것이다. 구원은 메시아가 이미 이루어 놓으신 것을- 우리의 죄를 위한 십자가의 대속의 죽음- 믿음으로 해서 오는 것이다. 더 필요한 것은 아무 것도 없다. 우리의 희생도, 우리의 사역으로도 아니다. 그래서 바울이 유대인과 그리스인 모두에게 끊임없이 상기시켰던 것이다. "우리를 구원하시되 우리의 행한바 의로운 행위로 말미암지 아니하고 오직 그의 긍휼하심을 쫓아"(딛 3:5). 비록 유대인 신자들이 여전히 율법을 준수했을지는 모르지만, 그것이 그들의 의의 원천은 아니었다.

이러한 유대인/이방인 체험들은 잘 돼가는 것처럼 보였다. 유대인들은 이방인들이 어느 날 유일하신 참 하나님을 믿게 되리라는 것을 알고 있었으며, 그것은 메시아의 사명 안에서 하나의 본질적인 구성 요소였다. "그가 가라사대 네가 나의 종이 되어 야곱의 지파들을 일으키며 이스라엘 중에 보전된 자를 돌아오게 할 것은 오히려 경한 일이라 내가 또 너로 이방의 빛을 삼아 나의 구원을 베풀어서 땅 끝까지 이르게 하리라"(사 49:6).

이것은 유대인들에게 놀랄 만한 일이 아니었다. 그들은 단지 그 타이밍에 놀랐던 것이다. 결국 그 유대인 메시아는 아직 예루살렘을 가시적으로 통치하지 않았고, 로마가 여전히 지배하고 있었다.

그때 대 변동을 재촉하는 조짐들이 일어났다. 로마와 예루살렘간의 긴장이 고조되고 로마군대가 그 성을 포위했다. 계속된 포위가 이년간 지속되면서 결국 그 성은 파괴됐으며 성전은 황폐케 되었다.

감람산의 설교(마 24, 막 13, 눅 21)를 기억했던 유대인 신자들은 요단강을 건너 펠라로 피신해 갔다. 그들의 도피는 두 가지 일을 이루어 놓았다: 이제는 필경 로마인들과 동맹까지 맺은 배반자라고 여겼던 유대인 형제들로부터 자신들을 한층 더 분리시켜 놓았으며, 그래서 그 일은 유대인 신자들 안의 리더십에 더 금이 가게 했다. 이방인 신자들 중에는 예루살렘의 파괴를 이스라엘에 대한 하나님의 마지막 심판으로 해석하기 시작하는 이들 또한 있었다. 의심할 여지없이, 그들은 하나님이 그분의 "선택한" 백성들과 끝내셨으며 이제 그들의 약속들은 "이방인 교회"에 속하게 됐다고 단정 짓게 된다.

그 후로부터 60년, 또 다른 역사적 대 사건이 예루살렘 유대인 교회의 비운을 결정짓게 된다. A.D. 130년대 바르 코크바(Bar Kokhba) 반란사건이 진압되면서 유대인들은 그 성 안으로 들어가는 것이 금지되었다. 그것으로도 충분하지 않았는지 하드리아누스 황제는 성을 다시 쌓고 그것을 엘리아 카피톨리나(Aelia Capitolina) 신전이라고 이름 짓고 세 개의 이방 신들에게 그것을 헌납했다. 그 성에 남은 자들은 이제 이방인들뿐이었다. 그들은 그 거룩한 장소들을 통제하면서 자기들 스스로를 예루살렘 **교회**의 지도자로 확립시켰다.

디아스포라로 유대인 신자들은- 예루살렘과 그 땅의 바깥에서- 유대인 회당에서 메시아를 믿는 신자들까지도, 4세기가 다 될 때까지 여전히 흩어져 있었다. 유대인식의 영향력은 거의 남아 있지 않았다.[6] 그 당시 이방인 크리스천들이 점점 더 그들을 이해하지 못한 것도 과히 놀랄 만한 일이 아니다.

쉬무엘 수란이 그의 유대인 'B' rit Hadashah' 신약성경 사본을 수세기 후 뉴욕에서 찾아냈을 무렵, 크리스천 믿음에 관한 유대인식의 연결점은 거의 잊혀진 상태였다. 지금 아버지의 우편에 앉으셔서 우리를 위해 중보하고 계신 분이 여전히 유대인 메시아라는 사실을 생각하고 있는 사람들조차도 아주 적었다(롬 8:34).

교회는 그 믿음의 관습에 있어서 너무 이방인식이 되었기에, 성서적인 유대인식 표현을 회복하려는 우리 같은 사람들도-우리의 유대인 뿌리에 대한 재발견을 위해 치러야 할 아주 작은 대가도 종종 낯설게 여겨진다.

노트

1. 쉬무엘과 그의 아내 파멜라(Pamela)는 'the Chazon Yerushalaim(Jerusalem Vision) ministry를 섬기며, 예루살렘에 살고 있다.

2. David H. Stern, *The Complete Jewish Bible*: An English Version of the Tanakh(구약)과 B'rit Hadashah(신약), (Jewish New Testament Publications, 1998)

3. Russell L. Resnik, *The Root and the Branches, Jewish Identity in Messiah*(Adat Yeshua, 1997), pp. 72, 73.

4. Ibid, p. 80.

5. David H. Stern은 1935년 그 도시 첫 20명 유대인들 중 두 사람의 증손자로 캘리포니아에서 태어났다. 그는 몇 권의 책을 저술했으며 「The Complete Jewish Bible」을 번역했다.

6. Ray A. Pritz, *Nazarene Jewish Christianity*: From the End of the New Testament Period until its Disappearance in the Fourth Century.(Magnus Press, The Hebrew University, 1992)

제6장

교회의 "이방인화"

하나님께서 이방인에게도 생명 얻는 회개를 주셨도다.
사도행전 11:18

　　최근 나는 유대인과 이방인 친구들 한 그룹과 함께 스페인에 머무는 동안, 과거 반-유대 조치와 박해가 있었던 역사적인 유적들을 방문했다. 그라나다(Granada)에서 우리는 페르디난드와 이사벨라가 유대인들을 강제 퇴거시키고 그들의 재산을 몰수하기 위해 1492년 판결문에 서명했던 알함브라 궁전의 사절단 방에 서 있었다.[1] 거기서 우리는 그들의 결정이 오늘날까지 우리에게 영향을 끼쳐 온, 오래 전 그 선조들을 대신해서 죄를 고백하고 용서를 구하며 그 사건들을 회상하고 있었다.

이러한 일은 매우 감동적이었지만, 톨레도(Toledo)에서 보게 될 것에 대해서 우리는 아무런 마음의 준비도 되어 있지 않았다. 고대 거리의 모퉁이를 돌아 '산 후안 데 로스 레이스'에 이르렀다. 이 오래된 수도원 담벽에 걸려 있는 것들은 5세기 전 유대 백성들이 고문과 죽임을 당했던 어두운 과거의 뚜렷한 유품들, 쇠사슬이었다. 그곳은 버려진 건물이 아니었다. 성당 바깥에는 자갈밭과 함께 곡물들이 자라고 있었고 그날 일찍 결혼파티도 있었다.

쇠사슬들이 왜 아직도 거기 걸려있는 것일까? 왜 그것들을 치워 놓지 않았나? 우리 팀들은 말문이 막혀 당황스럽기도 하고 수치스러워 고개를 숙인 채 뒤로 물러섰다. 그리고 비탄과 수치의 깊은 고뇌 속에서 마치 감정을 충분히 표현할 아무런 방법도 없는 것처럼, 내 마음 안에 그 같은 마비 상태가 있었다. 그럴 때는 마땅히 어떻게 느껴야 할지!

그 모퉁이를 돌아 조그만 공원이 있었다. 우리는 발을 질질 끌다시피 그곳으로 걸어가 여전히 말을 잃은 채 아무렇게나 모여 있었다. 그때 우리 유대인 어머니들 중 한 사람이 땅에 앉아 말로는 표현할 수 없는 그녀만의 방식으로 자기 머리에 흑 먼지들을 뿌리기 시작했다. 나는 그 곁에 앉아서 그녀가 하는 대로 따라했다. 다른 이들, 유대인도 이방인도 서로를 껴안았다. 오랜 침묵의 순간이 있은 후 누군가 카디시(Kaddish)를 시작했다. 카디시는 과거 "크리스천들" 세대에 의해 고통과 죽임을 당해 왔던 유대인 남자, 여자들 그리고 어린이들에게 경의를 표하는 기도이다.

1세기로 돌아가, 유대인들은 우리를 그들의 가족과 동등하게 은혜로 받아들였다. 그러나 우리가 그들을 거부했다. 어떻게 해서 그렇게 됐던 것일까?

이방인들의 사도 바울은 그의 인생 말년에 위험한 징조들을 보기 시작했다. "그 가지들을 향하여 자긍하지 말라" 그는 로마인들에게 경고했다. "이 점을 잘 숙고해 보라 네가 뿌리를 보전하는 것이 아니요 뿌리가 너를 보전하는 것이니라 높은 마음을 품지 말고(거만해 하지 말고) 도리어 두려워하라"(롬 11:18,20). 그러나 거만해 왔다, 우리는 바울의 경고를 거의 20세기 동안이나 무시당한 채 지나왔다.

누가 메시아를 죽였는가?

3세기 중반 무렵, 예루살렘의 몰락과 유대인들의 이산은 하나님이 이스라엘과 끝냈음을 세상에 보이신 그분의 방법이었다는 것이 대부분의 크리스천들 안에 통용되던 신념이었다. 그 당시 신학자 오리겐(Origen)은 「셀수스에 반대하며」(Against Celsus)에 이렇게 썼다. 그들은 "그들의 이전 상태로 결코 회복되지 못할 것이다. 인간으로 오신 구세주를 대항해서 공모하면서 가장 신성하지 못한 죄를 저질렀기 때문이다."[2]

로마서 11장 1절, 11절에는 무슨 일이 있었는가? "하나님이 자기백성을 버리셨느뇨 그럴 수 없느니라 저희가 넘어지기까지 실족하였느뇨 그래서 회복 불능인가 그럴 수 없느니라!" 그리고 예레미야는 어떠했나? 오리겐과 그들은 '해가 하늘에 떠 있는 한 이스라엘도 영원한 나라가 되리라'(렘 31:35-37)고 말한 그 예언들을 못보고 넘어갔단 말인가?

유대인들만이 "구세주를 대항해 공모했는가?" 빌라도는 아니었고 최후의 말을 던진 이방인들은 아니었나? 로마병정들은 어떠했나? 명령에만 따른 것인가? 그랬을지도 모른다. 하지만 그분의 체포, 고문 그리고 십자가형에는 그들도 적극적으로 가담했었다.

그럼에도 불구하고 **교회**는 어떤 기회들도 잡으려 하지 않았다. A.D. 325년 콘스탄티누스 대제가 일부 교리적 문제들을 해결하기 위해 니케아 공의회를 소집했지만, 그 또한 최종적으로는, 그들 손을 "악한 죄"에 더럽힌 그 "오염된 불쌍한 유대인들"로부터 **교회**가 분리되는 것을 확인하기 원했다.[3] 그들은 유월절과는 다른 부활의 축제일이 필요했다. 유월절은 너무 유대인 냄새가 났다!

"이 가장 성스러운 절기의 축제에 그들의 손을 엄청난 죄에 불경스럽게 더럽혀 온, 그래서 영혼의 무지함으로 응분의 고통을 당해 오고 있는 유대인들의 관습을 우리가 따라야 한다는

것이 합당치 않은 일로 여겨졌소." 콘스탄티누스가 교회 감독
관 모임에 쓴 글이었다.[4]

공의회 소집의 결정에서 콘스탄티누스는 그의 방식대로 막
대한 교회 연회를 베풀었다. 로마식 절기 달력이 정복한 것이
다. 주님의 부활 연례축제는- 그 원천인 유월절과는 닮지 않
고, 묘하게도 게르만족의 봄의 여신 에오스토(Eostre)와 흡사
한- 새 이름 부활절(Easter)로 현재 쓰여지고 있다. 유월절은
그 시점 이후로 서방 교회에 의해 예속되었다.

예언자 다니엘은 네 개의 짐승과 한 왕이 "때와 법을 바꾸
려" 할 것이라는(단 7:25) 이상을 보았다. 콘스탄티누스의 강
요로 **교회**는 하나님의 달력을 바꾸고 그는 앞으로 올 또 다른
세상 통치자의 한 예시가 되었다. 그리고 **교회**는 이스라엘의
뿌리들과 그 영적 "근원"으로부터 한층 더 멀어지게 됐다.

"이제 여러분들이 유대인 대신 정착한 것입니다!" 존 크리소
스톰이 몇 년 후 그의 신도들에게 확신시킨 말이다.[5] 믿음을
갖게 된 유대 백성들은 이제 유대인식의 모든 것을 끊어버리도
록 요구 받았다. 만일 거부하면 이단으로 여겨져 뒤죽박죽 혼
합된 이방인 교회의 분노를 사게 돼 있었다.

더욱이 신학자들 집단은 "교체 신학"을 교리로 수용해버렸
다.[6] 예레미야와 바울은 잊혀졌고 그들의 선명한 말씀조차도
재해석되었다.

A.D. 787년 제 2차 니케아 공의회 즈음, 유대인 신자들은

그들이 "크리스천"임을 입증해야만 했다. 예컨대, 안식일 준수나 그 밖의 유대인 관습들을 버리지 않는 경우 교회 공의회 판결에 의해서 교단에서 거부됐다. 어떤 경우 그들은 증인들 앞에서 돼지고기를 먹음으로써 자신들의 뿌리에 대한 경멸심을 입증해 보여야만 했다.[7]

A.D. 1179년과 1215년의 라테란 공의회는 유대인들에게 분리된 주거지에서 살 것과 뚜렷이 구별되는 옷을 입도록 지시했다. 이것은 유대인 강제 거주지(ghetto) 생활의 길을 열어 놓았고, 노란 배지의 부착은 나치의 홀로코스트 기간에 앞서서 요구됐던 것이다.

마르틴 루터는 16세기 개혁운동을 통해서 수백만에게 소망을 가져왔다. 로마인들에게 보낸 바울의 서신이 그에게 생명을 가져온 것이다. 하지만 그는 로마서 11장 28,29절로부터는 아무런 것도 주워 모으지 못한 듯싶다. "복음으로 하면 (유대인들) 저희가 너희를 인하여 원수 된 자요 택하심으로 하면 조상들을 인하여 사랑을 입은 자라 하나님의 은사와 부르심에는 후회하심이 없느니라." 하지만 루터의 논평은 이러했다. "여기의 '원수'라는 단어는 수동적 감각으로 사용됐음이 틀림없다. 다시 말해서 그들(유대인들)은 미움 받아도 마땅하다. 하나님도 그들을 미워하시고 그래서 사도들과 모든 하나님의 사람들에게도 미움을 받는 것이다."[8]

하나님이 그들을 미워하신다고? 엄밀히 말하자면 그 반대다.

오히려 바울은 "그들이 사랑 받았다"고 말한다. 같은 장 서두에서도 바울은 그들이 거부되지 않았다고 말한다. 그들은 회복 불능만큼 실족하지 않았다. 그들은 다시 일어날 것이며 그것은 넘치는 부요함의 때가 될 것이다. 루터는 교회의 개혁을 가져온만큼이나 이 선택된 하나님의 백성들을 경멸하는데도 한발 더 앞서 나갔다. 세월이 흐른 후, 히틀러는 자신의 유대인 증오를 위한 정당성을 그다지 멀리서 찾을 필요가 없었다. 루터의 글이 그 악한 독재자의 고전 「나의 투쟁」(Mein Kampf, 히틀러의 저서)에 그대로 인용됐다. 유대인 신자들에게 안전한 처소는 그 어디에도 없었다.

나는 오래 전 산 후안 데 로스 레이스의 벽 쇠사슬에 매달려 있었던 그들에 대해서도 궁금한 것이 있다. 그들은 자신들이 알지도 못하는 보이지 않는 왕에게 충성을 서약하도록 강요당했던 유대인들이었나? 아니면 유대인임을 포기하라는 명령을 거부했던 유대인 신자들이었을까? 두 눈을 감고 여전히 그들을 본다. 몰락한 **교회**의 끔찍한 침묵의 증인들이다.

누가 메시아를 죽였는가? 아담의 총체적 가문의 죄들이 그날 십자가에 달린 메시아의 어깨 위에 있었다. 우리들의 죄가 그분을 그곳에 못박았다. 그분은 유대인과 이방인 모두를 구속하기 위해 오셨으며, 그분을 죽음으로 정죄한 것도 유대인과 이방인 모두 다였다.

이간은 계속되고

우리가 사는 이 세기에는 **교회**가 이스라엘을 대신했다는 개념이 우리의 생각에 너무나 스며들어 있어서, 최근 출판된 성경책들조차 난외의 주 또는 장의 앞머리에 자주 이 오래된 오류들을 그대로 실으면서 유대인들의 증오를 낳게 된다. 잘 알려진 한 성경사전엔 바울과 그의 유대인 의식의 관계에 이러한 주석을 달아 놓았다:

바울은 유대인들이 아브라함에게 주어졌던 약속들을- 율법이 아닌 믿음으로 말미암아 박탈당한 것으로 논증했다(롬 4:13). 왜냐하면 "믿음으로 말미암은 자들이 아브라함의 (참)아들들이기 때문이며(갈 3:7), 유대인들이 아닌 크리스천들이 이제 이스라엘의 혈통으로부터 계승될 권리를 주장할 수 있다. **교회**는 사실상 '흩어져있는 열두 지파들' 이었다"(약 1:1).[9]

이 우수한 사전에는 이미 바울이 명백히 부인했던 그 말을- 이방인들이 이스라엘을 대신했다- 선포하기 위해, 바울의 말이 거꾸로 사용됐다. 바울은 참으로 구원은 율법에 대한 자기의의 고집이 아니라 믿음이라고 주장하고 있었다. 어느 곳에도 바울이나 야고보가 이방인들을 "흩어져 있는 열두 지파들"로 지칭한 적이 없다.

교회가 이스라엘을 대신했다는 개념이 우리의 생각에 너무나 스며들어 있어서, 최근 출판된 성경책들조차 자주 이 오래된 오류들을 그대로 실으면서 유대인들의 증오를 낳게 된다.

한 스터디 바이블은 다른 모든 것들은 훌륭하게 기술했지만, 이스라엘의 영적 종말과 교회의 지배권(ascendancy)에 대한 광범위한 수용을 지적했다.[10] 그 예로, 이사야서의 각 장의 표제들이다:

이사야 41장 — 하나님께서 그분의 교회와 관련해 그분의 자비로운 섭리
　　　　　　를 말씀하시다
이사야 43장 — 여호와께서 그분의 약속으로 교회를 위로하시다
이사야 52장 — 교회가 하나님의 값없는 구속의 약속으로 일어서다
이사야 60장 — 이방인들의 넘쳐나는 증가 안에서 교회의 영광
이사야 65장 — 이방인들 부름 받고 유대인들 버림받다. 남은 자들 구원
　　　　　　받다. 축복된 새 예루살렘 나라.

각 페이지의 상단 제목들은 이 강조점들을 한층 더 명백히 한다:

교회를 위한 하나님의 자비들

교회를 위한 하나님의 약속들

교회의 회복

교회를 향한 선지자들의 열정

교회의 고백과 불평들

이 장들 어디에도 **교회**는 전혀 언급되지 않았는데도 불구하고, **교회**를 향한 이러한 한결 같은 언급과 함께 실 주체인 이스라엘은 간과되었다.

또 다른 오늘날 작가들의 이 해석을 들어보자: "우리를 섬기지 아니하는 백성과 나라는 파멸하리니"(사 60:12); "여호와께서 만민을 우리에게 열방을 우리 발 아래 복종케 하시며"(시 47:3)− 원래 이스라엘에게 세워진 약속들이 우리로 바뀌며, 이제 '새 이스라엘' **교회** 안에 성취되어야 하는 것이다."[11]

이스라엘에게 하신 약속들은 참으로 이방인들에게도 통용될 수 있다. 그러나 오직 그들이 이스라엘과 동반자로 언약 안에 들어올 때이다. 바울은 이 점을 아주 명백히 서술한다. 혈통으로는 이방인이며 그리스도와 분리되었으며 "이스라엘의 시민권으로부터 **제외되고** 약속의 언약들에 대하여 외인이었던 너희들이" 메시아의 보혈을 통해서 "그 결과로 더 이상 외인도 아니고 손도 아니며 하나님의 백성들과 동일한 시민이며 하나님의 가족의 일원으로 **포함되었도다**"(엡 2:12,19).

우리 이방인들은 이스라엘의 시민이 되었다. 그것이 이스라엘의 약속들로의 우리의 유일한 통과 수단이다. 일찍이 우리는 "약속의 언약들에 대하여 외인들"이었지만, 그날은 지나갔고 이스라엘의 메시아가 이제 우리의 메시아이다.[12]

우리는 유대 백성들이 그분을 받아들이기 어렵게 만들어 놓았다. 그들이 멈칫하도록 우리가 요구한 것이다. 그 혼란의 역사는 매우 길고, 그 상처는 너무나 깊다.

현대 신학자들 중 어떤 부류는 우리가 유대인들에게 예수님에 대해서 전하려는 것은 더 이상 말아야 한다고 생각한다. 이들은- 소위 "이중 언약"(Dual Covenant)으로 불리는, 유대인들은 예수님이 필요하지 않다는 하나의 완전히 새로운 신학을 개발해 냈다. 유대인들은 아브라함과 함께 그들의 언약을 통해서 구원 받고, 오직 이방인들은 예수님을 통해서 구원 받는다는 논리다.

얼마나 억지인가!

우리가 예수님에게 가장 가까운 이 혈통들로부터 등을 돌린 것도 충분치 않아, 이제 우리는 그들에게 그들의 메시아가 필요치 않다고 결론 내버린 것이다!

그것은 언어도단이다. 예수님은 유대인과 이방인 모두의 메시아이거나, 그렇지 않다면 그분은 전혀 메시아가 아니다.

어떤 진실한 크리스천이라도 꾸며 낸 회심이나 조작된 간증 기술들을 깊이 뉘우치게 마련이다. 우리는 협박을 혐오하고 우리의 과거사를 가슴 아파한다. 그러나 분명히, 우리가 필요하듯이 유대 백성들도 여전히 구세주가 필요하다. 우리는 유대인들을 사랑하고 그들을 축복하고 그들을 핍박에서 보호하려 하고 아무런 요구도 그들에게 하지 않는다. 하지만 역시 그분은 그들의 메시아다. 우리는 감히 그 사실을 잊어서는 안 된다.

"예루살렘은 이방인의 때가 차기까지 이방인들에게 밟히리라!"(눅 21:24). 예언의 말씀은 진실이다. 그런데도 예수님의 청중들 그 누구도 그 다음 시대에 어떤 일이 발생하게 될지 상상하지 못했다: 이방인들이 모세오경과 예언서를 통제하리라는 것- 하나님의 영감에 의한 말씀, 성경은 이방인들에게 너무나 적합하게 쓰여져 있어 마치 하나의 이방인 책처럼 널리 퍼지게 되리라는 것, 이제 그들이 믿던 그 분, 그 메시아, 그리스도의 이미지가 너무 "이방인화" 되어 있어서, 그분이 선택한 백성들조차도 그분을 자신들의 혈통으로 인식하지 못하리라는 것, 20세기의 수백만 유대인들이 그들의 메시아에게 립 서비스(lip service)를 드렸던 이방인들의 손에 의해서 죽임 당하리라는 것을.

예수아, 다윗의 자손, 하나님의 아들은 이제 예수 그리스도, 이방인들의 구세주가 되었었다. 초기 시대 그 유대인들은 우리를 그들의 가족으로 받아들였지만, 이제 우리가 그들을 거부했다. **교회**의 중심 안에 이방인들은 있지만 유대인들은 빠져 있었다.

교회는 모든 게 잘된 것으로 당연시 했지만 주님은 그 거절을 기뻐하지 않으셨다. 치러져야 할 대가가 있었다. 하나님의 선택된 가문을 거부했던 이들은 그들 자신들 안에서도 화합조차 이루려 하지 않았다.

노트

1. Isabella I, Encarta Encyclopedia, 1998, CD-ROM
2. Origen, *Against Celsus*; (Magnus Press, The Hebrew University, 1992)
3. Constantine, quoted in Dan Gruber, *The Church and the Jews*(Elijah Publishing, 1997)
4. Ibid.
5. John Chrysostom, *Homilies on the Acts of the Apostles and the Epistle to the Romans*. (Christian Literature Company, 1889), p.491.
6. 교체신학은 하나님이 이스라엘과 끝내셨고 이방인 교회가 그들을 대신함으로 이스라엘과 유대 백성들을 위한 미래의 역할은 없다는 이론과 신념이다.
7. Cannon VIII from the Second Nicene Council
8. Martin Luther, *Commentary on the Epistle to the Romans*, trans. J. Theodore Mueller.(Zondervan Publishing House, 1954)
9. Harper's Bible Dictionary, 1985, s.v. "Israel.
10. Thompson Chain Reference Bible, 4th improved ed. (Kirkbride Company, 1964)
11. David Chilton, *The Day of Vengeance:* An Exposition of the Book of Revelation.(Dominion Press, 1984), p. 117.
12. 성경 구절의 몇 부분이 교체신학을 지원하는 언급들에 쓰여지고 있다(갈 6:15,16).

제7장

분열-이방인 교회의 DNA

사람이 무엇으로 심든지 그대로 거두리라
갈라디아서 6:7

초기의 신자들은 "다 함께 있어 모든 물건을 서로 통용했고"
(행 2:44), "한 마음과 한 뜻이 되었다"(4:32). 겟세마네 동산
에서 예수님은 우리가 다 하나가 되어 "세상으로 아버지께서
나를 보내신 것을 믿게 하옵소서"(요 17:21)라고 기도하셨다.

그러나 우리는 하나가 **아니다**. 현재 그리스도의 광대하신 몸

안에는 23,300여 개의 분열된 전혀 다른 교파들과 함께 160개 이상의 교회조직의 관습과 전통들이 있다![1]

우리를 출산한 그들로부터 떨어져 나와 교회는 잇따른 분열을 산출해 왔다. 새로운 운동이 있을 때마다 새 교회, 저마다의 개혁, 새 교파들이 생겨났다.

모든 하나님의 피조물 안에 타고난 자연법칙은– DNA로 말하자면– 그 자체로 **교회**에 영향을 끼쳐 왔다. 우리는 "각기 우리의 종류대로"(창 1:11) 번식돼 왔다. 우리를 출산한 그들로부터 떨어져 나와 **교회**는 잇따른 분열을 산출해 왔다. 새로운 운동이 있을 때마다 새 교회, 저마다의 개혁, 새 교파들이 생겨났다. 우리는 19세기 후반: 동방 정교회와 로마 가톨릭교회, 성공회와 개신교, 칼빈주의와 아르미니안주의, 루터교, 침례교, 감리교, 나사렛파, 오순절파, 교파주의와 초교파주의 등을 갖게 됐다.

여전히 가족적인 유사점이 있지만, 한 돌연변이체가 우리의 혈관으로 들어왔다. 돌연변이체는 그 첫 세대 안에서는 단지 약간의 변화만을 가져올지 몰라도, 궁극적으로는 "심각한 기형과 질병 같은 그러한 큰 변화를" 가져올 수 있다.[2]

그것은 모두 이방인 교회가 높은 위치를 뽐내고 있을 때 그 첫 번째 분열과 함께 시작됐다. 마티 왈드맨(Marty Waldman)의 말에 따르면:

> 유대인들과 이방인들 사이의 분열로 갈라진 상처는 메시아의 몸 안의 모든 상처들의 "시조"다. **교회** 안의 분열의 다른 모든 상처들도 이 본래 상처의 줄기다. 왜냐하면 **교회**는 그들이 이스라엘과 메시아닉 유대 신앙을 대신했다고 믿으며 성장했기 때문에 교체주의 정신이 세대들을 통해서 크리스천 신앙에 전염된 것이다. 그리스 정교회는 로마 가톨릭 교회가 배반했다고 믿으며, 로마 가톨릭 교회는 개신교를 항상 종교적인 반역자로 보아 왔다. 개신교 안의 많은 교파와 종파들은 서로가 다 "더 순수한 믿음의 길"을 찾아왔기 때문에, 주로 기존의 그룹을 교체해 버리는 또 하나의 크리스천 그룹의 결과들이다. 교체주의는 본질적으로 그 이전 그룹을 향한 하나님의 약속을 무효화시키는 것이다.[3]

"이스라엘은 내 아들 내 장자라"(출 4:22)는 하나님의 말씀을 처음 들은 자는 모세였다. 장자는 가족 안에서 달리 교체할 수 없는 영예의 위치를 가진다. 바울은 "하나님의 은사와 부르심에는 후회하심이 없다"(롬 11:29)고 말할 때 구체적으로 이스라엘을 언급한 것이다.

이방인 크리스천들—집에 머물러 있는 아들

누가복음에서 예수님은 어린 아들이 집을 떠나 외국으로 나가 그의 유산을 헛되이 써 버린 탕자 이야기를 들려주신다(눅 15:11-31). 한참 후 그는 "제 정신이 돌아와" 집으로 출발했다. 그러나 그는 "아직도 먼 거리에 있는데 그의 아버지가 그를 보고 측은히 여겨서 달려가 그의 목을 껴안고 입을 맞추었다" (20). 화려한 축제가 벌어졌고, "이 내 아들은 죽었다가 다시 살아났다." 그 아버지는 기뻐했다(24).

그런데 큰 아들은 매우 화가 났다. 그의 동생은 자기 유산을 다 탕진해 버렸고 그러면 그것으로 끝이어야 했다. 축제를 베풀 만한 이유가 전혀 없었다. 이 어린 반역자 동생은 "먼 나라"의 돼지우리에서 그가 마땅히 받을 것을 받은 것인데 이제 와서 모든 것이 그에게 속해야 한다니, 그 충성된 큰 아들은 아버지에게 상기시킨다. "내가 여러 해 아버지를 섬겨 명을 어김이 없거늘 내게는 염소 새끼라도 주어 나와 내 벗으로 즐기게 하신 일이 없더니"(15:29).

이방인들의 소설은 이 테마를 뒤집어 놓은 것이다. 장자인 이스라엘이 집을 떠났고 이방인(형)은 아버지와 함께 머물러 있었다. 그들이 생각하는 한, 집 떠난 이스라엘은 이제 버림받고 원수로 여겨야 한다. 집에 남아 있던 아들은 아버지와 친밀한 관계의 자리를 포함한 모든 면에서 잃어버린 동생이 자기 대신 들어앉았다고 기정사실화 한 것이다.

방황의 오랜 세월 후 이스라엘이 마침내 집으로 돌아오고 있다. 그러나 **교회**는 행복하지 않다. "그들은 그들의 기회가 있었는데," 이렇게 말하는 듯하다. "그들은 그들 유산을 다 탕진했어, 이제 우리의 때야, 그들은 더 이상 아버지 집에서 어떤 권리도 갖고 있지 않아."

이와 반대로 아버지는 "제일 좋은 옷을 내어다가 입히고 손에 가락지를 끼우고 발에 신을 신기라 그리고 살진 송아지를 끌어다가 잡으라 우리가 먹고 즐기자"(22,23)고 말씀한다.

에이탄 쉬스코프와 나에게는 상호간의 믿음의 언약을 더욱 견고하게 해준 잊지 못할 순간이 있었다. 메시아닉 유대인 컨퍼런스의 강사로 부탁 받은 우리는 같이 단위에 앉아 있었다.

에이탄이 일어나 그의 말을 마치고 자리에 앉았다. 나는 이 뛰어난 유대인 청중들에게 강연하는 동안, 유대인 신자들은 비전을 간직할 것과 이방인 신자들에게는 예수아 안에서 그들의 새로운 형제자매들과 함께 나란히 서도록 권면하면서 그 친숙한- 하지만 너무나 왜곡된 탕자의 비유가 내 의식을 두드렸다. 갑자기 나는 이스라엘을 헐뜯고 조소하고 박해하고 거절해 온 "집에 머물러 있는" 이방인 교회의 자손으로서의 나 자신을 보게 되었다. 깨져 나가는 격렬함과 함께 우리 선조 세대들에 대한 죄책감의 큰 짐을 느꼈다.

그 각성의 순간, 나는 또한 핍박 받은 민족의 아들로서의 에이탄을 보았다. 그가 수세기에 걸쳐 학살당한 수백만 가족들의 큰 비애를 항상 품고 있어야 했음이 내게 너무 선명했다. 뒤로 다가가 앞으로 그를 끌어당기고, 다음 그의 발 앞에 무릎을 꿇고 흐느껴 울었다. "우리를 용서해 줘, 우리를 용서해!" 나는 그 세대들의 죄를 내 어깨 위에 올려놓고 한 없이 울었다.

우리 이방인들은 유대 백성들의 영적 후손이다. 우물가에서 예수님이 사마리아 여인에게 말씀하셨다. "구원이 유대인에게서 남이니라"(요 4:22). 그 분은- 그 유대인- 믿음 안에서 우리의 "부모"이다. 유대인의 믿음 없이는 크리스천 신앙도 없으리라.

한편 나는 그렇게 오랫동안 이루어져 왔던 영적 삶이 그 믿음의 기원을 존중할 때까지 이방인 교회로부터 보류되고 있다는 것이 의아했다. 그럴 수 있을까? 우리의 분열의 역사는 우리가 오직 하나님의 택하신 혈통들과 화합을 이룬 후에야 멈출 수 있다는 것인가? 마티 왈드맨은 그렇게 생각한다. 그는 우리 시대의 메시아닉 공동체의 재출현은 이 심한 분열의 상처에 말씀하시는 하나님의 예비하심으로 참된 치유를 교회에 가져오기 위함이라고 믿고 있다.

우리의 피 묻은 손들

하나님은 종종 이전 세대들의 죄에 대해서 치러져야 할 배상과 함께 죄의 고백을 요구하신다. 다윗이 온 이스라엘의 왕이 된 후 곧 3년의 기근이 있었다. 이 위기에 어찌할 바를 몰랐던 다윗이 여호와 앞에 간구하자 "여호와께서 가라사대 이는 사울과 피를 흘린 그 집을 인함이니 저가 기브온 사람을 죽였음이니라"(삼하 21:1)라고 하셨다.

사울? 이미 죽은 사울이 다윗과 무슨 상관이 있단 말인가? 다윗은 사울의 죄에 책임이 없지 않은가? 그리고 기브온 사람들? 그것은 여호수아에 의해서 수백 년 앞서 맺어진 언약에 관련된 것이었다(수 9). 그렇게 오래 전에 깨진 약속이 다윗의 통치에 영향을 줄 수 있다는 것인가? 어제의 죄들이 정말 오늘의 기근의 이유가 될 수 있는 것인가?

그렇다! 그것이 정확히 하나님이 다윗에게 말씀하신 것이다. 이스라엘이 그 땅에 들어갈 때 그들의 지도자 여호수아는 기브온과 언약을 맺었다. 사백 년 후 이스라엘의 첫 번째 왕 사울은 그 언약을 깨뜨렸다. 사울이 그 언약 맺은 백성들을 멸시하고 죽였기 때문에 그 땅을 마르게 한 기근이 다윗의 통치 동안에 온 것이다. 이 악한 행위들이 수세기 후에 얽매여 이제 현재의 통치자의 머리 위에 남아, 그래서 하나님은 참회와 고백의 합당한 행위를 기대하셨던 것이다.

교회는 오늘날 그와 흡사한 자리에서 자신을 본다. 지난 세대의 지도자들이 그분이 축복으로 지명하신 이 특별한 백성들을 멸시하고 죽이기까지 했다. 우리는 물리적으로나 영적으로나 그 세대들의 후손이다. 바로 다윗에게 그랬던 것처럼 그 권한이 이제 우리에게로 넘어왔다. 우리에게도 마찬가지로, 주님은 겸손, 죄를 인정함, 그리고 그 진노가 비켜가기에 합당한 행위를 기대하신다.

우리 시대의 영적 기근이 멈춰지려면, "넘치는 부요함"의 부흥이 확산되기 위해서는, 하나님의 택하신 "죽음으로부터의 생명"이 지속되려면, 그렇다면 우리는 용서하시는 하나님을 향한 간구의 손과 상처 받은 백성들을 향한 치유의 손들을 높이 펼쳐 들어야 한다.

"주의 나라여 오시옵소서! 뜻이 하늘에서 이루어진 것같이 땅에서도 이루어지이다!" 우리는 이것을 수백 년 동안이나 기도해 오고 있다. **교회**는 세상에 그 구속자를 전하기 위해 대륙을 가로지르며 그 영광의 순간들을 보아 왔다. 그러나 우리는 결코 그 충만함에 도달해 본 적이 없다. 너무나 자주 우리의 기도들은 미움이 가득 찬 마음과 피 묻은 손들로부터 떠올랐다.

집에 오신 것을 환영합니다!

교회가 그 죄들과 씨름하고 있다. 화해 단체들이 모든 나라마다 모이고 있다. 독일인들이 유럽인들에게 죄를 고백하고, 일본인들이 아시아인들에게, 유럽 정복자들의 후손들이 원주민들에게, 이전 노예 소유자와 상인들의 자녀들이 이전 노예들의 자녀들에게 죄를 고백하고 있다.

유대인 문제는 더 이상 무시돼서는 안 된다. 나는 'Toward Jerusalem Council II' (예루살렘을 향한 공회 II)라고 불리는 한 단체의 일원이다. 우리는 하나의 공식적인 교회 공회가 소집될 그 때를 고대하기 때문에 'toward'란 (향한) 단어를 사용하며, 이 일이 사도행전 15장에 묘사된 최초의 공회를 이어갈 것이기 때문에 Jerusalem Council 'II'라는 단어를 사용한다. 그 공회에서 당시의 유대인 신자들은 이방인들에게 유대인이 되라는 요구 없이 그들을 환영하는 방법을 연구하려고 만났다. 'the Toward Jerusalem Council II' 역시 유대인들에게 이방인이 되라고 요구하지 않으면서 그들을 환영하는 방법을 연구하기 위한 하나의 이방인 공회가 될 것이다. 우리 단체는 "교회의 1세기부터 거슬러 올라가 예수아 안에서 유대인과 이방인 사이의 갈라진 틈을 수리하고 치유하며, 그리고 우선적으로 겸손, 기도, 회개를 통해서 그 일들을 행하기를 원한다."[4]

우리는 스페인, 로마, 니스와 이스라엘을 여행했다. 우리는 복음주의와 은사주의 교회들뿐만 아니라 역사적인 교회들의 주요 지도자들도 방문했으며, 이방인들이 우리 유대인 형제들을 환영하려고 접대 라인을 만들었던 니스의 유적에 함께 서 있었다. A.D. 325년과 A.D. 787년 공회에서 그들이 초대 받지 못했었다는 사실 때문에 그 마음을 싸매주고 싶었던 우리의 시도였다!

스페인에서는 A.D. 306년 엘비라에서 제정된 선언문으로 인한- 크리스천은 유대인들로부터 축복을 받아선 안 된다- 하나의 회개 행위로 스페인 크리스천들이 우리의 유대인 형제들에게 자신들과 그 땅을 축복해달라고 부탁했었다.

4시간 동안 우리는 1세기 말 유대인 지도자들이 예루살렘 성전도 없이 어떻게 믿음을 지속해 나갈 수 있을지 고심하며 모였던, 그 야브네 유적에서 기도했다.

  감람산에서 우리는 예루살렘 성을 내려다보며 그 성을 위한 예수님의 기도를 다시 시작했다. 그리고 우리의 눈을 하늘을 향해 들고 그분의 가장 가까운 혈통의 큰 무리들이 그분의 귀환을 환영하게 될 그 때를 우리 역시 고대하고 있다고 그분께 고백했다.

  교회가 유대 백성들이 그들 조상대대의 조국으로 돌아오는 것을 환영하기 시작하자, 하나의 영적 각성이 야곱 가문 안에서도 자극을 주고 있다. 그와 동시에 모든 교파의 장벽을 넘어 교회 안의 믿는 자들 가운데 화합이 일어나고 있다. 신속히 앞서가는 많은 교회들은 더 이상 교파로 인한 경계를 두지 않고 우리의 왕께 헌신하고 있다. 주님이 기도하셨던 대로 이루어지고 있다. 이 거대한 영적 혈통 안에서 형제자매들이 함께 나올 때, 수천 수백만이 더 믿음을 갖게 될 것이다. 그러나 그 가문은 우리가 먼 타국에서 돌아온 우리의 큰형을 기억할 때, 그들을 통해 계시된 우리의 구속자를 통해서 함께 나올 수 있다.

  이 모든 일들은 선지자들이 예견했듯이 이스라엘이 그 조상대대로 물려받은 조국으로 돌아오면서 계속될 것이다.

노트
_____

1. Frank Kaleb Jansen, ed. *Target Earth*(Global Mapping International, 1989), p 98.
2. The World Book Encyclopedia, 1962, s.v. 'mutations'
3. Martin J. Waldman, *'Reconciliation: A jewish-Gentile Issue Facing the Church Today.*(paper presented to the Network of Christian Ministries, December 1998), p. 9.
4. From the Statement of Purpose, Toward Jerusalem Council II, 1997

조국으로의 귀환

저 구름같이, 비둘기가 그 보금자리로 날아오는 것같이
날아오는 자들이 누구뇨?
이사야 60:8

내가 이스라엘 자손을 그 간 바 열국에서 취하며 그 사면에서 모아서
그 고토로 돌아가게 하고 그 땅 이스라엘에서 그들로 한 나라를 이루어서
한 임금이 모두 다스리게 하리니 그들이 다시는
두 민족이 되지 아니하며 두 나라로 나누이지 아니할지라.
에스겔 37:21,22

제 8 장 **조국으로의 귀환** 133

이상한 광경이었음이 틀림없다. 우리가 정원사들로 보이진 않았겠지만 한 손에는 삽, 다른 손에는 작은 묘목을 들은 채 우리 일행 20여 명은 예루살렘 성 외곽의 다소 불모지인 산등성 위에 서 있었다. 우리는 땅에 구멍을 파고 초목을 심은 다음 그곳에 물을 주기 전에 주변의 땅을 단단히 밟아 주어야 했다. 각 나무는 우리가 사랑한 누군가에 대한 존경의 표시다. 나무를 심을 때마다 우리는 이스라엘 정부에 10달러씩을 지불했다.

갑자기 그 전체 광경이 우리를 웃게 만들었다. 여행경비를 지불한 후, 나무를 심는다는 특권에 대해 지금 또 추가 돈을 지불하고 있다니, 이 이스라엘 정부의 상공회의소가 얼마나 대단한 곳인가! 어떤 다른 나라가 그 같이 나무심기 세입계획을 고안했던 적이 있었는가?

하지만 이 나라는 다르다. 어느 나라도 비교할 수 없다. 그들의 고유자산으로 양도된 그 영역은 전능하신 그분에 의해서 서명됐다. 그분이 이스라엘을 "열방의 중심"에 두셨다(겔 5:5). "지극히 높으신 자가 열국들에게 기업을 주실 때 인종을 나누실 때에 이스라엘 자손의 수효대로 민족들의 경계를 정하셨다"(신 32:8). 이것이 바로 성서가 의미하는 바이다.

시편 기자는 이스라엘을 "곧 그 [하나님의] 마음을 가까이하는 백성"(시 148:14)으로 불렀다. 여호와께서는 아브라함에게 "너의 자손들에게 내가 이 땅을 주리라"고 약속하시고 피의 언약으로 "서명하셨다"(창 15:1-20). 그분은 나중에 이삭에게도 다시 언급하셨다. "내가 너와 함께 있어 네게 복을 주고 내가 이 모든 땅을 너와 네 자손에게 주리라 내가 네 아비 아브라함에게 맹세한 것을 이루어"(26:3). 그 이름을 이스라엘로 바꾸신 후 야곱에게는 "내가 아브라함과 이삭에게 준 땅을 네게 주고 내가 네 후손에게도 그 땅을 주리라"(35:12) 말씀하셨다.

"이 땅?" 어느 땅인가? 하나님은 땅의 국경과 경계를 정하시는데도 기막힐 정도로 정확하셨다. 아브라함에게 하신 그분의 말씀이다. "내가 이 땅을 애굽 강에서부터 그 큰 강 유브라데까지 네 자손에게 주노니"(창 15:18). 400년 후 땅을 정복한 여호수아에게 그분은 더 분명하게 말씀하셨다. "곧 광야와 이 레바논에서부터 큰 하수 유브라데에 이르는 헷 족속의 온 땅과 또 해지는 편 대해까지 너희 지경이 되리라"(수 1:4).

하나님의 토지 영역의 약속은 오늘날 독자들에게도 하나의 충격이다. 이스라엘이 유브라데에 이르기까지 확장되리라는 것이 과연 어떻게 가능할까? 그것이 시리아, 이집트, 레바논, 요르단, 이라크, 이란의 전부나 부분들이 어느 날 이스라엘에게 속한다는 것인가? 그러한 일이 있기 전에 무슨 끔찍한 대변동이라도 있다는 것인가? 난 그 답을 모른다. 하지만 이 책의 논제들 중 하나라도 그것을 은유적으로 해석할 이유가 없다면, 우리는 그 말씀을 문자적으로 취한다는 것을 기억하기 바란다. 그리고 이스라엘의 땅이 여호수아 1장 4절에 예언적으로 정해진 범위보다 작으리라는 추측은, 특히 지난 50년간 확장된 땅의 국경에 비추어볼 때 잘못된 분별이다.[1]

그러면 그 땅의 언약, 즉 그 양도증서는 얼마나 오랫동안 유효한 것이었나? 그 계약조항은 정확하다. "너희는 그 언약 곧 천대〔적어도 40,000년〕에 명하신 말씀을 영원히 기억할지어다. 이것은 아브라함에게 하신 언약이며 이삭에게 하신 맹세며 야곱에게 세우신… 영원한 언약이다"(대상 16:15-17). 하지만 어떠한 언약인가? "내가 가나안 땅을 네게 주어 너희 기업의 지경이 되게 하리라"(16:18).

  이 땅과 사랑에 대한 진기한 언약은 그와 함께 일정한 조건들이 수반되었다. "네가 만일 이 책에 기록한 이 율법의 모든 말씀을 지켜 행하지 아니하고 네 하나님 여호와라 하는 영화롭고 두려운 이름을 경외하지 아니하면… 너희가 들어가 얻는 땅에서 뽑힐 것이요… 너를 땅 이 끝에서 저 끝까지 만민 중에 흩으시리니"(신 28:58-64). 누가는 그것을 "모든 이방에 사로잡혀 가겠고"(눅 21:24)로 말했다. 이것이 이스라엘의 불충실에 대한 징계이리라.

  거의 20세기 동안 유대인 역사는 이 말씀들이 사실임을 입증해 왔다. 그 모든 것은 앗수르가 B.C. 721년 북 왕국을 정복하면서 시작됐다. 유력한 지도자들이 추방당하고 흩어져서 전혀 돌아오지 못했고, 예루살렘과 남 왕국은 바벨론 침공으로 그 성과 성전이 모두 함락되기 전 거의 150년 동안을 고통으로 견뎌야 했다. 70년간의 포로생활 후 많은 이스라엘 백성들이 돌아왔고 성전은 재건축되었다. 그 다음 로마가 지배했고, A.D. 70년 성전은 파괴됐으며, 그리고 거의 2,000년 동안 이스라엘이라는 국가는 없었다.

이사야에 의해서 표현된 그 땅의 황폐함이 마무리되었다. "성읍들은 황폐하여 거민이 없으며 가옥들에는 사람이 없고 이 토지가 전폐하게 되며"(사 6:11). 이스라엘 국가는 에스겔이 예언했었던 것처럼 마른 뼈들의 골짜기였다(겔 37:1,2).

성령 안에서 선지자 에스겔은 골짜기에 가득한 뼈들이 생명으로 회복되는 것을 보았다. 그가 대언하자 뼈들이 서로 연결되었다. 두 번째 예언은 생기를 불러 일으켰으며 에스겔이 대언하자 모든 골짜기가 다 살아서 일어서는데 "극히 큰 군대" (37:10)를 이루었다.

전 장에서 언급했듯이, 에스겔의 이상은 부흥이 필요한 활력 없는 교회를 설명하는데 반복해서 사용돼 왔다. 그러나 예언자는 **교회**를 보고 있던 것이 아니라 이스라엘을 보고 있었다. 그 해석에 의문들이 있겠지만, 주님은 우리가 의심하게 놔두지 않으셨다. "인자야 이 뼈들은 이스라엘의 온 족속이라." 하나님은 에스겔에게 확신시키셨다. "내가 〔그들을〕 〔그들의〕 고국에 거하게 하리니"(37:11, 14).

이 죽은-뼈로부터-살아난 나라는 그 앞선 앗수르와 바벨론 정복의 때처럼 더 이상 두 나라로 분리되지 않았다. "그들이 다시는 두 민족이 되지 아니하며 두 나라로 나누이지 아니할지라"(37:22). 예레미야, 호세아 두 선지자에게도 이와 유사한 계시가 주어졌다. "유다 족속과 이스라엘 족속이 동행하여… 내가 너희 열조에게 기업으로 준 땅에 함께 이르리라"(렘 3:18), "이에 유다 자손과 이스라엘 자손이 함께 모여 한 두목을 세우고"(호 1:11). 그와 같이 연합되어 그들은 함께 살며 일치를 이루게 될 것이다.

남은 자들의 귀환

분산된 이스라엘 백성들의 귀환은 - B.C. 516년의 귀환처럼 단지 - 바벨론 - 동쪽에서가 아닌, "땅 사방에서 유다의 이산한 자를 모으시는"(사 11:12) 것이다. 이사야는 이것이 두 번째 귀환이 되어야 하며 남과 북, 동과 서로부터의 이주자들이 포함될 것을 분명히 했다. 이사야는 - 애굽, 아프리카(구스) 그리고 바벨론 등 몇몇 땅들의 이름까지도 거론했는데, 그러나 "바다의 섬들"(11:11)로 언급된 다른 지역들은 이 글을 쓸 당시 그에게는 미지의 땅이었다.

"배들이 먼저 이르되 멀리서 〔그들의〕 자손과 그 은 금을 아울러 싣고 오며"(사 60:9) 어떤 이들은 "저 구름같이 비둘기가 그 보금자리로 날아올 것"(60:8)이라는 말씀이 이사야 시대 2,600년 후 하늘에 가득 찰 항공 교통의 예언적 참조라고도 말한다. 그것은 그 옛날 애굽으로부터의 이동보다 더 큰 출애굽이 될 것이다(렘 23:7,8). 특히 북방은 구체적으로 많은 이주자들이 돌아올 땅으로 지명됐다. 오늘날 일곱 명의 이스라엘인들 중 하나가 러시아인이라니(모스크바는 사실상 예루살렘의 정북향이다), 얼마나 흥미로운가?

"보라 내가 그들을 북편 땅에서 인도하며 땅 끝에서부터 모으리니… 잉태한 여인과 해산하는 여인이 함께하여 큰 무리를 이루어 이곳으로 돌아오되"(렘 31:8). 1950년 예멘의 유대인들이 도착했을 때 12명의 아기들이 비행기 안에서 태어났고, 1991년 5월 에티오피아 공수에서는 5명이었다.

사막이 백합화같이 피어 즐거워하며(사 35:1,2). 사막의 운명이 회복되고 있다. 그분이 다시 사마리아 산들에 포도원을 심으시고(렘 31:5)- 뉴스 미디어들이 웨스트뱅크(West Bank)라고 부르는 곳이다. 다른 국가들의 재산이 이스라엘로 투자되고 있으며(사 60:5), 심지어 그날 우리의 작은 나무심기 개발 사업조차도 그러한 재정을 가져왔다.

귀환에 투쟁이 없지는 않을 것이다. "내가 북방에게 이르기를 놓으라, 남방에게 이르기를 구류하지 말라, 내 아들들을 원방에서 이끌며 내 딸들을 땅끝에서 오게 하라"(사 43:6). "내가 많은 어부를 불러다가 그들을 낚게 하며 그 후에 많은 포수들을 불러다가 그들을 사냥하게 하리니"(렘 16:16).

디아스포라를 떠나 조국으로 귀환하는 것조차 "떨리는 소리를 들으니 두려움(테러)이요 평안이 아닌"(렘 30:5) 때가 될 것이다. 놀랍도록 정확한 이 모든 상세한 일들이 그토록 오랜 세월 전 예언자들에 의해 쓰여 졌으며, 성취됐거나 우리 시대에 성취되고 있다!

엘리에젤 우르바크(Eliezer Urbach)의 이야기

이스라엘로 귀환하면서 아주 큰 곤경에 직면했던 이스라엘의 한 아들, 엘리에젤 우르바크가 있다.[2] 나는 뉴멕시코의 한 유대인 집회에 참석 중 그를 만났다. 나는 그가 동생 어네스트(Ernest)와 함께 독일군 전투 비행기들과 병사들이 그 나라를 휩쓸었던 1939년 9월, 폴란드 스코초우의 그의 집으로부터 도망쳤던 일들에 대해서 들었다. 생포 당하지 않으려고 엘리에젤과 어네스트는 얼어붙은 강물을 헤엄쳐 건너 숲 속에 숨어 있다가, 나치의 수색견들을 피해 러시아 작전지역으로 가는 길이었다. 공산권 아래에서는 자신들이 안전하리란 생각으로 그곳에 도착했지만, 유대 민족은 러시아에서도 역시 불청객이라는 사실을 확인했을 따름이었다. 그 두 형제는 (그 후 동생 어네스트가 죽은) 시베리아 강제수용소로 보내졌다.

기아와 빈곤상태의 수년 후 엘리에젤은 수용소 측이 영양실조 된 그의 몸뚱어리를 그곳에 묻으려 하지 않았기에 결국 시베리아 감옥에서 풀려나게 되었다. 그러나 그의 자유로를 향한 도피는 아직도 먼 길이었다.

그는 먼저 우즈베키스탄으로 갔으며, 그 뒤 그의 고향에 도착하기 전 아프가니스탄에서 또다시 감옥에 투옥됐다. 그러나 그가 접하게 된 공포스러웠던 일은 그가 없는 동안 온 가족이 그 동네에서 단지 30마일 밖에 안 떨어진 아우슈비츠의 가스실로 보내진 것이었다.

유대인 대학살에서 생존할 길을 찾기 위한 소망으로 엘리에 젤은 러시아군에 합류했지만 그곳에서 유대 백성들을 안전하게 밀입국시키다가 체포되고 말았다. 군법회의에 끌려가는 도중 천신만고 끝에 독일 뮌헨으로 탈출했고, 그 도시에 살고 있던 삼촌과 함께 피신처를 찾아 다녔다. 그는 안식의 항구도 어떤 따뜻한 환영도 찾을 수가 없었다.

자유를 위한 탐구는 그를 파리로 향하게 했다. 엘리에젤은 이주자들을 돕기 위해 결성된 유대인 위원회들 중 한 단체와 연결됐다.[3] 그들의 도움으로 잠시 영국병사로 위장했다가 그는 1948년 독립전쟁에서 싸우기 위한 시간에 맞춰서 결국 "팔레스타인"에 도착했다.

나는 고난과 역경이 깊이 새겨진 덥수룩한 수염, 세월을 이겨낸 그 얼굴을 바라보면서 아직도 위태로운 국경, 빈약한 자유의 그 조국 땅에 이르기 위해 포로로 수용소에 잡히고 산과 숲을 기어오르며, 얼은 강을 헤엄치고 동생을 잃어 가며 상상조차 할 수 없는 온갖 고난을 견디어 온 수만 갈래의 복합적인 비애를 보았다.

하지만 나는 그 밖의 다른 것도 보았다. 주의 평강이 그의 얼굴을 교차하며 아로새겨져 있었고, 사랑과 긍휼이 그의 눈에서 빛을 내고 있었다. 어떻게 이것이 가능할까? 현대 이스라엘의 초기 시절- 50년대 초 혼란의 상황 속에서 엘리에젤은 브라질로 건너갔다. 한 친절한 이방인에게 초대 받아 그는 신약(New

Covenant)을 읽게 되었다. 죽음과의 수많은 접전 후에 그는
생명을 찾았다. 그는 하나님도, 그리고 이스라엘의 메시아도
모두 찾았다.

첫 번째 알리야

첫 번째 **알리야**(Aliyah)- 유대인의 이스라엘 이주, 조국으
로의 귀환-는 19세기 후반에 발생했다. 1882년 유대인 인구조
사에 의하면, 17개 농업 집단지구 안에 단지 24,000명 정도의
유대인 "팔레스타인" 거주자들이 살고 있었다. 초기 선구자들
중의 하나로 또 다른 엘리에젤(깨어 있는 모든 시간을 히브리
어의 부활을 위한 일들에 몰두해 온) 곧 엘리에젤 벤-예후다
(Eliezer ben-Yehuda)가 있었으며, 또 다른 초기 정착자로 폴
란드 태생의 데이비드 그린(David Green)이 있는데, 후에 이
름을 데이비드 벤 구리온(David ben Gurion)으로 바꾼 그는
이스라엘의 첫 번째 수상이 되었다.

이스라엘의 조국으로의 귀환은 오직 그분의 예언자들의 말을
이루시는 하나님으로만 설명될 수 있다.

그러나 이스라엘의 국가 재탄생에 기여한 사람으로 빈 출생의 젊은이, 'Jewish Viennese' 신문기자였던 데오도어 헤즐(Theodor Herzl)이라는 이름이 있었다. 1895년 1월 파리에서 그는 알프레드 드레이푸스(Alfred Dreyfus) 대위의- 스파이 행위라는 무고한 죄를 뒤집어쓰고 고소된 프랑스군의 유일한 유대인 일반참모- 공개재판에 참석해 있었다. 드레이푸스의 형이 선고되자 군중들의 구호는 "독재자를 죽여라!"에서 "유대인을 죽여라!"로 바뀌었다.[4]

헤즐은 유대 민족을 위해 안전한 장소를 세우려는 절박함에 그 도시를 떠났다. 2년 후 그는 스위스 바셀에서 제1차 세계 시온주의자 대회(The First World Zionist Congress)를 개최했고, 그 첫 모임에서 이스라엘을 위한 국기가- 푸른색과 흰색의 기도의 숄(어깨걸이)- 제정되고 국가 *Hatikvah*(The Hope)가 결정되었다. 그 운동을 이끌어나갈 유대인 의장이 선출됐으며 새 국가의 영토가 될 땅을 구입하기 시작하면서 'Jewish National Bank'와 'Land Bank'가 설립되었다.

아마 데오도어 헤즐의 비전 성취의 진정 의미 있는 다음 업적은, 제 1차 세계대전 중 영국의 필요에 의해서 화약에 사용되는 합성아세톤을 생산했던 체임 와이즈만(Chaim Weizman)이란 이름의 한 유대인 과학자의 작품을 통해서 왔을 것이다. 영국이 그 보상에 대해서 물어왔을 때 그는 "만일 영국이 팔레스타인 전투에서 이긴다면 나는 그 고대의 땅 안에 우리 민족을 위한 국가를 요구하겠소."5)라고 답했다.

그의 요청은 1917년 11월 2일 제정된 발포어 선언문(The Balfour Declaration)의 결과를 낳았다. "우리 국왕의 정부는 팔레스타인에 유대 민족을 위한 국가 건설을 호의적으로 보고 있으며 이 목표의 성취를 촉진시키기 위해 최선의 노력을 보일 것입니다."6)

같은 달 후반 영국 장군 에드문드 알렌비 경(Sir Edmund Allenby)은 대영제국이 이스라엘을 감독하게 하는 책임을 이끌어 냈다. 그는 야파(Jaffa) 항구를 통해서 그 도시로 들어올 때 그의 말에서 내려 모자를 벗었다. 말을 타고서 예루살렘에 입성해야 할 사람은 메시아 외에는 아무도 없다는 믿음 때문이었다.

이 흥미를 돋구는 일화는 이스라엘의 초기 시절 많은 전투들의 회고담이다. 알렌비 장군은 비행기를 띄워서 터키인들에게 항복을 명하는 전단을 뿌리도록 지시했다. 장군이 서명한 이 전단들은 터키 무슬림들의 손에 들어갔는데, 그들은 그것을 그 도시를 떠나라는 알라신의 작전명령으로 받아들였다. 단 한 발의 총성도 없었다. 레이몬 베네트(Ramon Bennett)는 자신의 책 「When Day and Night Cease」에서 이 사건을 설명하면서 이사야의 예언을 참조했다: "새가 날개 치며 그 새끼를 보호함 같이 나 만군의 여호와가 예루살렘을 보호할 것이라 그것을 호위하며 건지며 넘어와서 구원하리라"(사 31:5).7)

1920년 제 1차 세계대전에 이어서 국제연맹(the League of Nations: UN의 전신)은 영국에게 "팔레스타인"의 감독권을 넘겼지만 '발포어 선언문'은 잊혀지고 있었다. 아랍 보복의 두려움은 유대인 이주자들을 향한 영국의 마음을 바꾸어 놓았다. 국외 망명자들은 하이파 항구의 정박이 허락되지 않았고 귀환하는 유대인들의 이주 할당수도 급격히 감소시켰다. 영국은 성서적으로 이스라엘에게 약속되어 온 그 땅의 많은 부분에 아랍 정부를 정착시켰다.

선언문에 의해 약속된 유대인들을 위한 그 조국 건설에 세상이 양심의 가책을 받기도 전에, 또 다른 전쟁과 삶의 공포들이 발생하곤 했다. 영국 정부는 그 모든 사건에서 손을 씻은 지 오래 됐다. 불법 이주자들이 그들의 출생도시나 그들이 왔던 곳으로 되돌려 보내지고 사이프러스(Cyprus) 근교의 불법 입국자 강제수용소에 감금됐다. 유대인 국가의 잠정적 운명은 이제 유엔(United Nations)의 손에 달려 있었다.

새로운 국가

유엔이 유대인들의 조국 재건을 위한 "팔레스타인"의 분할을 고려하기 시작했다. 설립돼야 할 국가를 위해선 회원국들 2/3의 찬성을 필요로 했다.

그 결정에 도달하는 두 달 동안 리스 하웰스(Rees Howells) 총장의 인도 아래 웨일즈의 바이블 칼리지에서는 11일 동안 유엔 투표를 위한 기도에 전념했다. "나는 이방인들의 때가 가까이 왔다는 것과 유대인들이 그들의 조국으로 돌아와야 한다는 것을 확고하게 믿고 있습니다." 리스가 한 말이었다.[8]

1947년 11월 24일 저녁 학생들은 그 분할이 관철되지 않았다는 말을 들었다. 그 중보자들은 더욱 열심히 기도하는 가운데 "천사들이 뉴욕 유엔총회에 모인 그 많은 대표들에게 영향을 끼치기 위해 하나님의 백성들을 대신해서 일하고 있음"을 믿음으로 보았다. 다음날 그 안건이 통과됐다는 소식을 접했을 때 그들은 이 사건을 "2,000년 역사에 성령이 역사하신 가장 위대한 날 중에 하나"라고 말했다.[9]

그 투표가 통과되려면 해리 트루먼(Harry Truman) 미국 대통령의 지원이 절실히 필요했었다. 그러나 그는 자신의 입지를 내세우는데 느렸다. 사실 트루먼 대통령은- 자신의 좋은 친구며 이전 비즈니스 파트너였던 에디 제이콥슨(Eddie Jacobson)이라는 유대인을 이스라엘 유대인 공동체의 지도자들이 접촉했을 때까지- 영토분할에 관한 만남의 모든 요청들을 무시해 오고 있었다. 제이콥슨은 대통령의 역사 감각에 호소했으며, 체임 와이즈만(그는 건강이 매우 안 좋은 상태임에도 불구하고 미국으로 날아가 미팅이 주선될 때까지 호텔방에서 기다리고 있었다)을 만나보도록 설득했다.

이것이 제 1차 세계대전 영국 승리의 영웅이며, 미국 대통령 트루먼의 궁극적 결정에 강력한 영향을 끼쳤던 과학자 체임 와

이즈만의 방문 목적이었다. 그 같은 대면이 없었다면 그 결의안은 통과되지 못했을 것이다. 몇몇 주요 국가들에 대한 트루먼 대통령의 압력이 있었기에, 33개국의 동의, 13개국의 반대 그리고 10개국의 기권으로 투표가 통과된 것이다. 그날은 1947년 11월 29일이었다.[10]

헤즐은 1897년, 50년 내에 이스라엘 국가가 재탄생 되리라고 자신이 예견했었다는 말을 한 적이 있었다. 2,700년이나 앞선 이사야 선지자의 말이(사 66:8) 현실이 된 것이다. 하루 만에 한 국가가 탄생됐다!

남은 자들 없이

그 투표에도 불구하고 이 어린 국가는 7개의 아랍 국가들-이집트, 요르단, 레바논, 시리아, 사우디 아라비아, 예멘, 그리고 이라크-과 나라를 세우기 위해 싸워야 했다. 그 당시 날들에 대해서 읽는 것은 마치 구약의 열왕기, 역대기를 읽는 것과 같다.

이스라엘 야전군 18,000명, 소총부대 10,000명, 기관총부대 3,600명, 몇 개의 오래된 야전포, 탱크 두 대, 비행기 네 대- 그 중 두 대는 전투 첫날 격추됐다.

이스라엘은 숫자적으로도 절망적일 뿐 아니라 군인들 각자가 자기 장비로 소유할 만한 충분한 총들조차도 없었다! 공군의 상황을 말하면, 이스라엘은 공군력이라고는 거의 없었다. 그리고 어찌됐든 영국으로부터 훔친 두 대의 탱크가 없었다면 그들은 완전히 무장해제였다. 그럼에도 불구하고 유엔이 전투 중인 상대국들 간에 휴전중재를 행사할 즈음 이스라엘은 그 당시 영토분할에서 할당됐던 땅 면적의 거의 3배를 차지하고 있었다![11]

모든 이스라엘 전투는 그 자체로 기적의 체험이었다. 1967년 시나이(Sinai) 군사작전 때였다. 두 대의 이스라엘 탱크가 모래언덕 위에 이르렀을 때 그들은 전투 준비를 완전히 마친 이집트 정예 탱크부대와 자기들 탱크 두 대가 마주하고 있음을 보게 된다. 그런데 아무 영문도 모르게 이집트 탱크부대는 그 자리에 멈춘 다음 탱크의 포탑문을 열고 뛰어나와 사막으로 도망치기 시작했다. 나중에 포로로 잡힌 이집트 병사들이 그때의 행동을 설명했는데, 자신들이 오히려 "수백 대의 이스라엘 탱크부대를" 마주하고 있는 걸로 알았다는 것이다.[12]

1973년 욤 키푸르(Yom Kippur) 전투 중 시리아군은 무방비 상태의 골란고원을 가로질러 행군하고 있었다. 그들이 요단강 강둑 위에 갑자기 멈춰 서지만 않았어도 24시간 이내에 하이파(Haifa)시에 도달할 수 있었는데, 갈릴리호의 사격권 안에 접근하여 3일 동안이나 머물러 있으며, 이스라엘이 군대를 소집해 그들을 공격할 시간을 내 주었다. 시리아 군대가 왜 강둑에 머물러 있었을까? 비 종교인인 한 이스라엘 장군이 그때 상황을 설명했다. "하늘로부터 내려오는 커다란 회색 빛깔의 손이 시리아군을 누르고 있었습니다."[13]

이스라엘의 조국으로의 귀환은, 오직 그분의 예언자들의 말을 이루시는 하나님으로만 설명될 수 있다. 나아가야 할 아무런 길도 그들에게 없어 보이는 그때마다 주님은 길을 준비하셨다. 이스라엘을 대항해서 주도된 많은 전쟁들은 단지 이 풋내기 국가에게 영토의 평수 증가만을 안겨 주고 끝날 뿐이었다. 새 이스라엘 국가가 설립됐을 때 그 토지는 3,000평방 마일로 이루어져 있었다. 1948년 독립전쟁 종결 시점에는 8,000평방 마일로 증가했다. 1967년 6일 전쟁(제 3차 중동전쟁)은 이스라엘의 토지를 26,000평방 마일로 확장시켰고 1973년 욤 키푸르 전쟁은 36,000평방 마일로- 그 중 일부는 현재 반환됐지만- 이루어 놓았다. 그러나 이것조차도 아브라함과 여호수아에게 약속된 이스라엘의 온전한 상속의 표준에는 아직 미치지 못한다(창 15:18; 수 1:4).

이스라엘 국가가 형성될 당시 이스라엘 인구는 백만이 채 안되었다. 1973년까지 여전히 삼백만이 되지 않았지만, 오늘날 전체 인구는 육백만에 달하며 그 중 대략 오백만이 유대인들이다. 50년간의 이스라엘 역사에서 100개가 넘는 나라들로부터 이스라엘 민족이 돌아오고 있으며 여섯 번의 큰 전쟁들을 치러왔다.

그러나 그 이야기는 끝마친 것이 아니다. 여전히 1,200만 아마도 그 이상의 이스라엘 자녀들이 열방 도처에 흩어져 있다. 에스겔 선지자는 그들 모두 그들의 땅으로 모이게 될 때를 말하고 있다. "내가 그들을 모아 고토로 돌아오게 하고 그 한 사람도 이방에 남기지 아니하리니"(겔 39:28). 만일 이 선지자의 말이 문자적으로 취해져야 한다면– 이것이 다르게 입증될 때까지는 항상 추정이겠지만– 모든 유대인들이 어느 날 이스라엘 땅으로 돌아올 것이다.

마찬가지로, 바울의 말들도 문자 그대로 취해진다면– 그리 아니할 이유라도? 모든 이스라엘은 구원 받을 것이다. 이것이 모든 유대인들 개개인 한 사람을 의미하는 것일까? 그러니 믿음으로 기도하며 그 끝을 향해 움직여 나가도록 하자.

노트
_____

1) 이스라엘은 1947년 유엔의 결의안으로 국가를 위한 한 특정한 땅의 할당을 허락 받았다. 하지만 주변의 아랍 국가들은 그 결의안을 인정치 않고 즉시 전쟁으로 돌입했으며, 그것으로 이스라엘 국가 선포에 이르게 된다. 며칠 후 아랍국가들은 전쟁종식을 선언하며, 이스라엘은 이 전쟁을 통해서 더 많은 땅을 부가로 더 얻게 된 결과가 되었다.

2. 엘리에젤의 완전한 이야기를 위해 그의 책 'Our of the Fury: The Incredible Odyssey of Eliezer Urbach'을 보라. (Chosen People Ministries, 1987)

3. The Hebrew Immigrant Aid Society는 미국의 유대인위원회에 가입되어 있다.

4. Larry Collins and Dominique Lapierre, *O Jerusalem! Day by Day and Minute by Minute*, The Historic Struggle for Jerusalem and the Birth of Israel(Simon and Schuster, 1972) Dreyfus, Herzl 그리고 유대 국가는 이 책에

잘 설명되어 있다.

5. Ramon Bennett, *When Day and Night Cease*(Arm of Salvation Press, 1992), p. 92.

6. Tom Hess, *Let My People Go!* 5th ed. (MorningStar Publications, 1997), p. 174.

7. Bennett, *When Day and Night Cease*, p. 92, p 92.

8. Norman Grubb, Rees Howells, *Intercessor*(Christian Literature Crusade, 1952), pp 229, 230.

9. Ibid, p. 224

10. Bennett, *When Day and Night Cease*, p. 164.

11. Ibid, p. 165.

12. Ibid.

13. Ibid.

제9장

각성

그 후에 저희가 돌아와서 마지막 날에는 경외함으로
여호와께로 와 그 은총으로 나아가리라.
호세아 3:5

    나는 그들의 이름을 몰랐다. 사실 그들 중 어느 누구도 만난
적이 없다. 그러나 어느 날 나는 예루살렘 거리들을 운전하면
서 스쳐 지나가는 사람들에게 예언기도를 하고 있었다. 차의

창문이 올려져 있어서 아무도 내 목소리를 들을 수 없었지만 그것이 중요한 것이 아니었다. 나는 이 많은 사람들이 예수아를 메시아로 알게 될 그 때를 예견하고 있었다. 그들이 조국으로 돌아올 때 이스라엘의 각성을 말하는 그들의 성서를 읽어 왔기에 말이다.

나중에 나는 하이파에 있는 한 유대인 회중교회 앞에 서 있었다. 내 뒤에는 토라 두루마리가 들어 있는 언약궤가 있었는데, 안식일마다 전 세계의 회당에서 읽혀지는 손으로 쓴 모세의 말씀들이다. 그리고 내 앞에 이사야의 말씀이 우리 때에 성취되고 있다는 살아 있는 증거, 예수아를 믿는 150명의 신자들이 있었다.

"내 육안으로 여러분들을 보게 된 것이 큰 기쁨입니다." 난 계속 말했다. "수년간 나는 여러분들을 영적인 눈으로 보아 왔고 선지자들과 사도 바울의 글에서 여러분들에 대해 읽어 왔습니다. 그런데 이제 그분들이 여기 있고 더 많은 이들이 돌아올 것입니다. 나는 수백만 가족과 친구들이 메시아 예수아를 믿게 될 것을 봅니다. 10년 전 여러분들 중 누가 오늘날 예수아/예수를 이스라엘의 메시아로 믿게 될 줄 상상이라도 했을까요? 그러나 주님은 여러분들을 이끌어 오셨습니다. 우리의 눈이 열리는 날입니다."[1]

르우벤의 이야기

르우벤 도론(Reuven Doron)은 이스라엘로 돌아온 20세기 초 러시아 이주자들의 손자다. 그의 조부는 터키 산맥을 걸어서 넘어와 마침내 북 갈릴리에 도착했고, 다른 이들은 가족들을 배에 실어 왔다. 그들 모두 이 어린 국가를 건설하는데 매우 의미 있는 역할들을 했다.

19살에 르우벤은 1973년 욤 키푸르 전쟁에서 골란 고원의 특수부대 요원으로 복무했으며, 그 부대원 2/3가 집에 돌아오지 못했다. 그는 전투에서 생존했음에도 불구하고 스스로 도저히 풀 수 없는 질문들을 안고 있었다. 그는 잠을 못 이루고 환멸과 비탄에 잠겼다. 삶이란 도대체 무엇인가? 내가 체험해 온 그 비극에는 어떤 의미들이 담겨 있는 것인가?

그는 가방을 둘러메고 세상으로 향했다— 유럽, 캐나다, 중앙아메리카. 그 다음 피닉스의 아리조나 주립대학 경영학과에 정착하게 된다. 그곳에서 우연히 그는 이스라엘의 하나님과 삶을 결정짓는 만남을 갖게 된다.

학비를 벌기 위해서 르우벤은 히브리어 개인레슨을 하게 됐다. 그의 학생들 중에 프랭크라는 이름의 이방인이 있었다. "블론드 머리, 푸른 눈의 이방인 당신이 왜 히브리어를 공부하려 합니까?" 르우벤이 어느 날 그 학생에게 물었다.

"난 항상 성경말씀을 히브리 원어로 읽을 수 있기를 원했거든요!" 그는 계속 말했다. "나는 성경 안에서 살아 계신 하나님의 지식을 발견해요."

르우벤은 이 노골적인 답변으로부터 결코 회복되지 못했다. 이스라엘 학교에서 성경을 공부했었지만 그에겐 단지 고대 전설이나 국가의 신화 같은 책이었다. 하나님은 멀리 계셨고 인격을 갖지 않았고 일상의 삶과는 관련이 없었다. 그런데 지금 르우벤은 그것과 다른 관점에서 부딪쳐야 했다. 이 책이 살아 계신 하나님을 계시한다니, 말이 되는 것인가?

르우벤이 그 학생에게 고백했다. "만일 하나님이 계시고, 조금이라도 내게 관심이 있으시다면, 그리고 정말 나의 죄 값을 치르셨다면, 그렇다면 그분에 대해서 읽고 그분께 들어야 할뿐만 아니라 그분을 알아야 하겠죠!"

"그러면, 기도하면서 그분의 얼굴을 구하세요," 학생이 권했다.

르우벤은 그 도전을 받아들였다. 그는 밤이면 밤마다 좀처럼 대답할 것 같지 않은, 얼굴 없는 하나님께 질문들을 쏟아 부었다. 그러나 그는 어떤 유대인 남자나 여자도 물어보길 원치 않는 한 가지 질문이 그에게도 남아 있다는 것을 알고 있었다. 크리스천들이 세대에 걸쳐서 예배해 온 그분, 그분의 추종자들도 때로 이스라엘에 등을 돌렸던 그 유대 사람이, 그분이 약속의 메시아였다는 것이 가능한 말인가?

르우벤은 진리를 알기 위한 스스로의 필요에 사로잡혔다. 마침내 그는 혼란과 함께 화가 나서 한 가지 남은 그 질문을 밤하늘에 쏟아 버렸다. "내게 그분이 필요한가요? 하나님 당신께 나아가기 위해서 내게 그 나사렛 사람이 필요하냐구요?"

그 다음 일어났던 일을 르우벤의 말로 들어 보자.

그때 하나님이 대답하셨어요! 하늘로부터 한 계시의 화살이 한밤중의 어두움을 뚫고 내려와 내 영혼에 꽂혔어요. 그분이 "그래, 그렇단다! 너는 그 나사렛 사람이 필요해!"라고 말씀하시자, 그 말씀은 진리의 불꽃과 함께 내 영 안에서 살아 움직이기 시작했죠!

내 생애 처음 하나님의 음성을 의식하며 들었어요. 설령 말씀을 들을 수 있었다 해도 그 울림소리는 너무나 명료하고 커서 내 심령 안에 마치 천둥과도 같았어요! 나는 거기 뒤뜰에 무릎 꿇은 채 그분의 말씀과 생명을 마셨어요… 내 발로 일어나서 아파트로 돌아오기까지는 얼마간의 시간이 흘렀죠. 매우 생소한 감각과 깨달음이 나를 덮고 있었는데, 난 이렇게 말한 것으로 기억합니다.

"르우벤, 넌 변했어, 너 스스로에게 변했다고 다시 말해봐!"

아시겠죠? 비록 새로운 교리나 지적 지식은 내게 없었지만 하늘의 씨앗이 내 안에 심겨지면서 바로 영적으로 "거듭난" 것입니다![2]

호세아 선지자는 르우벤, 또 우리 시대를 사는 많은 유대인 신자들에게 말했었다.

이스라엘 자손들이 많은 날 동안 왕도 없고 군도 없고 제사도 없고 주상도 없고 에봇도 없고 드라빔도 없이 지내다가 '그 후에 저희가 돌아와서 그 하나님 여호와가 그 왕 다윗을 구하고 말일에는 경외함으로 여호와께로 와 그 은총으로 나아가리라' (호 3:4,5).

느브갓네살이 시드기야 왕을 바벨론으로 잡아간 B.C. 586년 이후(렘 52:9-11) 왕도 없고 군대도 없었다. 디도 장군의 군대가 A.D. 70년 성전을 파괴한 이후 제사도 없었다. 우리의 날은 '그 후에' 르우벤 그리고 야곱의 수백만 아들딸들이 돌아와 경외함으로 여호와께 그 은총으로 나아가는 그 마지막 때다.

이사야의 사명

이스라엘의 하나님 그 거룩하신 자와 뜻밖의 겁나는 만남을 가졌던 이사야 역시 우리가 살고 있는 날들을 예견했다. 그는 보좌를 둘러싼 천사들의 예배 소리를 들었다. 그로 인해 성전의 문설주와 문지방이 요동하는 것을 느꼈고 공중은 연기로 충만했다. 그가 외쳤다. "화로다 나여 망하게 되었도다 나는 입술이 부정한 사람이요 입술이 부정한 백성 중에 거하면서 만군의 여호와이신 왕을 뵈었음이로다"(6:5).

천사 하나가 제단에서 취한 핀 숯을 가져와 그의 입에 대며 말했다. "보라 이것이 네 입에 닿았으니 네 악이 제하여 졌고 네 죄가 사하여 졌느니라"(6:7).

그때 주께서 말씀했다. "내가 누구를 보내며 누가 우리를 위하여 갈꼬?"

이사야는 그가 이스라엘에 전해야 할 메시지에 대해서 전혀 모르는 채 불쑥 입 밖에 낸다. "내가 여기 있나이다, 나를 보내소서"(6:8).

"가서 이 백성에게 전해라." 주가 말씀하셨다. "너희가 듣기는 들어도 깨닫지 못할 것이요 보기는 보아도 알지 못하리라 하여 이 백성의 마음으로 둔하게 하며 그 귀가 막히고 눈이 감기게 하라, 염려컨대 그들이 눈으로 보고 귀로 듣고 마음으로 깨닫고 다시 돌아와서 고침을 받을까 하노라"(6:9,10).

예수님은 이스라엘이 하나의 국가로서 왜 그분을 받아들이지 않았는지 설명하시려고 이사야의 말을 사용하셨다(마 13:14,15). 사도 요한 또한 이사야의 예언을 기억했다. "이렇게 많은 표적을 저희 앞에서 행하셨으나 저를 믿지 아니하니… 저희가 능히 믿지 못한 것은 이 까닭이니"(요 12:37,39). 사도 바울도 이사야와 같은 말을 인용했다. "하나님이 오늘날까지 저희에게 혼미한 심령과 보지 못할 눈과 듣지 못할 귀를 주셨다 함과 같으니라"(롬 11:8).

"능히 믿지 못한 것?" "혼미한 심령?" 이 말들은 강한 용어다. 이것은 무엇을 의미하는가? 주님의 방법은 우리의 이해력을 뛰어넘는다. 하나님은 그들이 잃어버린 세상에 가져가기로 예정된 바로 그 메시지에 왜 이스라엘의 눈과 귀를 닫으려 하셨을까? 같은 장에서 바울은 계속 말한다. "저희의 넘어짐으로 구원이 이방인에게 이르기 때문이다"(롬 11:11).

다른 방법은 있을 수 없었던 것인가? 사도 바울도 잠잠하고 하나님도 침묵하신다.

"저희의 넘어짐이 세상의 부요함이 되며 저희의 실패가 이방인의 부요함이 되거든"(11:12).

"불공평해!" 우리는 외친다. 그러나 아무런 대답이 없다. 오직 이사야가 정확히 들었던 그때의 간증뿐이다.

얼마나 오랫동안?

이사야의 계시는 닫혀진 눈과 귀 그리고 굳어진 마음에서 멈추지 않았다. 얼마나 오랫동안입니까 주님? 그는 물었다. 얼마나 오랫동안 지속되겠습니까? 얼마 동안 그들의 눈이 닫혀 있고 얼마 동안 그들의 마음이 굳어져 있겠습니까?

이사야는 상세하고 정확히 성취된 말씀- 성읍들이 황폐하여 가옥들에는 사람이 없고 토지가 전폐하게 되며 이 땅 가운데 폐한 곳이 많을 때에 대해서 말했다. 바벨론, 그리스, 로마, 비잔틴, 아랍, 터키, 십자군 그리고 영국인들- 새 "이스라엘"이 일어서기 전 모두가 그 땅을 지배했었다.

그러한 내정 간섭 몇 세기 동안, 그 땅의 생산을 멸하려고 전답에는 소금이 뿌려졌고 그들에게 부과된 세금 명목으로 나무들은 베어졌으며 말라리아는 흔한 질병이 되어 버렸다. 마크 트웨인(Mark Twain)은 19세기 후반에 이스라엘을 방문했을 때 철저하게 황폐케 된 땅으로서의 이스라엘을 묘사했었다. 그럼에도 유대 백성들은 이 약속된 상속을 항상 머뭇거려 왔다. 세대를 걸쳐 오면서 "내년에는 예루살렘에서!" 드리자던 그들의 유월절 의례는 궁극적으로 그들의 조국을 상기시켰다.

"밤나무, 상수리나무가 베임을 당하여도 그 그루터기는 남아 있는 것같이 거룩한 씨가 이 땅의 그루터기니라"(사 6:13).

그 그루터기는 다시 자라나려 하며 이스라엘은 돌아오려 한다. 그들이 돌아왔을 때 이사야의 "어느 때까지이니까"는 성취되리라. 이스라엘의 귀와 눈은 닫혀진 채로 남아 있지 않을 것이며 그들의 마음도 더 이상 굳어지지 않을 것이다.

에스겔의 마른 뼈 골짜기의 이상은(겔 37) 이사야의 이상과 평행을 이룬다. 이사야는 황폐케 된 땅과 사라진 인구들을 보았고 에스겔은 마른 뼈들의 골짜기로 더 이상 존재하지 않는 나라를 보았다. 이사야는 다시 자라나게 될 그루터기를 보았고 에스겔은 뼈들이 한 곳으로 모이는- 북과 남 왕국이 연합되어 더 이상 두 나라가 아니고 하나인 것을 보았다. 그는 그 부활하는 나라 안으로 생기- 영적 생명이 들어가는 것을 보았다.

내가 너희를 여러 나라 가운데에서 인도하여 내고 여러 민족 가운데에서 모아 데리고 고국 땅에 들어가서 내 영을 너희 속에 두어 너희로 내 율례를 행하게 하리니 너희가 내 규례를 지켜 행할지라, 그러한즉 그들[너희들]이 나를 여호와인줄 알리라(겔 36:24,27,38).

전답들이 다시 갈아지고 씨가 뿌려질 때 너희는 내가 여호와인줄 알리라! 내가 너희 백성들을 다시 증가 시킬 때 너희는 내가 여호와인줄 알리라! 성읍에 사람이 살고 황폐해진 곳이 재건될 때 너희는 내가 여호와인줄 알리라! 너희 안에 거주하는 사람들과 동물들이 크게 배가될 때 너희는 내가 여호와인줄 알리라! 내가 너희를 이전보다 더 번성케 할 때 너희는 내가 여호와인줄 알리라!

예수 세대

그 해 1967년은 기억해야 할 연대이다.

1세기 이후 전 세계의 그렇게 많은 지역들 안에서- 이스라엘과 디아스포라 양쪽을 다 포함해- 그토록 많은 유대 백성들이 예수를 믿게 되었던 세대는 결코 없었다. 1967년 예루살렘이 이스라엘의 관리 아래 들어갔을 때 하늘에서는 무슨 일인가 일어나고 있었다.

1971년 6월 21일자 타임지는 60년대 후반의 예수운동 (Jesus Movement)를 설명하는 매우 광범위한 기사를 게재했다. 그 기자는 자신의 기사에서 세 번씩이나 예수운동의 시작 연대를 1967년으로 추정했다.[3] 거의 모든 오늘날의 지도자들이 메시아닉 유대인 운동 안에서 예수아를 믿게 된 것도 그 시기 동안이었다.

1세기 이후전 세계의 그렇게 많은 지역들 안에서 그토록 많은 유대 백성들이 예수를 믿게 되었던 세대는 결코 없었다.

이스라엘 태생인 예루살렘의 메시아닉 지도자 조셉 술람 (Joseph shulam)은 말한다.

1960년대 초에는 예루살렘에서 예수아를 메시아로 믿는 유대인들을 20명조차도 찾아보기 힘들었다. 그들은 노출돼 있는 극심한 두려움 아래서 이곳저곳 흩어져 살거나 유대인 공동체에 의해서 모조리 추방당했다. 50년이 지난 지금 예루살렘에는 예수아를 메시아로 믿는 수만의 유대인들이 있으며, 히브리어로 설교하는 예루살렘의 9개 회중 교회들 중 한곳에라도 다 참석하고 있다. 주님이 다음 50년에도 지난 50년간 메시아의 몸 안에서 우리가 누려 왔던 동일한 성장을 허락하신다면,

우리는 메시아닉 유대인을 이스라엘 국가의 대통령으로 가질 수 있을 것이다.[4]

조엘 체르노프(Joel Chernoff) 메시아닉 유대인 미국연맹(Messianic Jewish Alliance of America) 사무총장도 "메시아닉 유대신앙이 유대인 공동체 가운데 단연 믿음의 급속한 성장의 흐름을 보여 준다"고 동의한다.[5]

이사야가 본 이상이 일어나고 있다. 때때로 거의 자신도 모르는 사이에 눈들이 열리고 있으며, 대부분은 그들의 진리탐구가 예수로 결론 나는 것을 두려워하지만 그럼에도 그들은 그 진리를 원하고 있다.

나는 게리(Gary)를 그녀가 플로리다에서 내시빌로 이사 왔을 때 만났다. 그녀가 예수를 믿은 것은 자동차 사고에 이은 8년 반 동안의 부분적인 신체마비 후였다. 그녀는 뉴욕에 머물면서 재활기간 중 목발을 짚은 채 해변가로 나갔다. 한 "해변 전도사"가 말을 걸기 시작하자 그녀가 대답했다. "난 유대인이에요, 그리고 우리는 예수를 믿지 않아요." 그런데 내면의 무엇인가가 그녀를 자극하기 시작했다. 왜 그녀가 그렇게 언짢아했는가? 예기치 않았던 그 뜻밖의 만남이 그녀 안에 어떤 필요를 건드린 것이었나? 잠시 후 그녀는 절름거리며 한 레스토랑에 들어갔는데 스탠드바엔 한자리만이 비어 있었다. 그녀 옆에 앉아 있던 남자가 말을 건네 왔다. 그는 여기 단골로 자주 오며,

그것은 자신들 문제에 관한 영원한 답이 필요한 사람들을 만나기 위해서라고 말했다– 그 답은 예수였다!

그녀는 평상시 답변 "흥미 없어요!"란 말을 던지고 난 후 어느새 자신이 교회에 참석해 보라는 그의 초대를 받아들이고 있다는 것을 알게 됐다. 그녀는 자신의 퉁명스러운 대답에 짜증이 났지만 되돌리고 싶진 않았다.

그녀는 교회 안에 앉아 있으면서 자기 옆에 앉은 남자의 낡은 재킷을 주시하지 않을 수 없었다. 그것은 커다란 다윗의 별이 등에 박힌 무명실로 짠 재킷이었고 그 별 안에는 크리스천의 심벌이 있었다. 그녀는 두 시간 집회 동안 내내 울었다.

이게 무슨 일인가? 그녀는 의아해 했다. 내가 지금 세뇌 받고 있는 건가? 내 감정 속에 무슨 일이 발생한 것일까? 날 자제할 수가 없네!

엄마의 집으로 돌아온 게리는 교회에서 준 몇 가지 인쇄물들을 펼쳐 들었다. 팸플릿 중에는 주님을 영접하는 방법을 말해주는 것도 있었고 예수님을 마음에 초청하기 위한 짧은 기도문이 포함되어 있었다. 그 글들을 읽으며 기도하기 시작했을 때 그녀는 스스로의 반응에 놀라 불쑥 멈출 수밖에 없었다. 그 다음 거의 불시에 말이 튀어나왔다. "예수님, 당신이 정말이라면, 난 그것을 알아야겠어요!"

바로 그 순간 그녀의 몸으로부터 마치 장기간의 마비상태가 끌어올려지듯 그녀의 척추 뼈들이 툭툭 소리를 내기 시작했다. 다음에는 평생 동안 가지고 있던 눈의 난시까지도 치유됐다!

그녀는 15분 동안이나 놀람 가운데 자신이 꼭 꿈속에 들어와 있는 것처럼 마룻바닥을 왔다 갔다 했다. 그 일들 모두가 자신의 상상 속에서 그칠 것만 같은 두려움 때문에 그 방을 떠나기 싫었다.

"당신은 **진짜예요!**" 마침내 그녀는 자신이 전혀 알지 못했었던 메시아를 선포했다. 게리는 이 이 사건에 대해 말하는 것을 좋아한다. 그녀는 이제 그녀의 가족과 친구들 안에 하나님의 주권적인 간섭을 위해 기도하고 있다.

백만장자 보험설계사 스탠 텔친(Stan Telchin)은 믿음을 갖게 되자, 그의 큰딸이 예수아 안에서 새로 발견한 믿음은 아무 근거가 없는 것이라고 설득시키려 애쓰고 있었다. 그는 성경, 주석 그리고 성경공부 책들을 구입해, 예수는 메시아가 아니라는 사실증명 작업에 착수했다. 그는 믿지 말아야 할 이유를 찾기 위한 몇 가지 질문들을 가지고 랍비를 찾아갔다. 스탠은 스스로 발견한 것들에 감정적으로 너무 대립되어 있어서 그의 믿음을 시인할 수 없었다. 그러나 곧 자신이 예수아 이름으로 기도를 끝내고 있는 것을 자기 귀로 듣고 나서야 비로소 그 마음 속에 믿음이 일어나고 있는 것을 무의식적으로 깨닫게 되었다. 이사야가 바로 그러한 일들이 있으리라 예견했듯이 영적인 눈이 떠졌다!

스탠의 아내 에델(Ethel)도 그와 흡사한 체험을 했다. "저는 그 전날 밤 자려고 침대에 누었어요, 예수는 선한 사람이었지만 자신이 메시아라고 말한 대로 그것은 아니라는 믿음을 여전히 가진 채로 말이죠. 그런데 다음날 아침 눈을 떴을 때, 그것이 진실이었다는 것을 알게 되었어요. **예수는 메시아에요.**"6)

연방항공국 군의관 스티븐 스트레처(Stephen Stracher)는 젠(Zen: 불교의 선) 묵상 홀에 있는 동안 믿음이 찾아왔다. 그는 예수와 부처가 같은 것을 말한다고 들어왔지만 그럼에도 예수의 십자가 고난과 부처의 해탈을 조화시킬 수가 없었다. 그는 예수와 석가를 곰곰이 생각하다가, 이 두 가지 사상이 어떻게 다른지 이해하기 위해서는 예수를 온전히 체험해 보아야겠다고 마음먹었다. 그러나 어떻게 해야 할까? 그는 그 답을 알고 있었다. 예수님을 체험하기 위해서는 그분이 메시아라고 말씀하신 그대로 그분을 받아들여야만 했다.

스티븐은 말한다. "나는 완전한 확신을 가지고 마음속에 크게 말했죠, **예수님, 나는 당신을 이스라엘의 메시아로 받아들입니다.** 그러자 내 마음에 그 말씀이 들렸어요. **세상 죄를 지고 가는 유월절 어린 양을 보라.** 아무런 경고도 준비도 없이… 그 깊은 놀라움 속에 그렇게 갑자기, 나는 그 모든 것이 사실이라는 것을 본 것입니다!"7)

선지자 이사야의 글을 읽고 있던 베라 슐람(Vera Schlamm) 박사에게 메시아로서의 예수의 계시가 찾아왔다. 베라 박사와 그녀의 가족은 1945년 2월 연합군의 승리로 인해

벨젠-벨센(Bergen-Belsen) 강제 수용소로부터 석방되었다. 예수 믿는 신자가 된다는 것은 그녀가 가장 생각하기 싫은 일이었다. 하지만 그녀는 하나님을 진지하게 탐구하면서 누군가가 자기에게 준 성경을 읽고 있었다.

"내가 이사야 53장에 이르렀을 때 말이죠," 그녀는 말한다, "그 부분이 예수에 대해서 말하고 있다는 것이 너무나 분명해서 난 이렇게 생각했죠. 그래, 이 책은 크리스천들이 번역한 거니까 본문을 그런 식으로 보이게 고쳐서 써 놓은 거야. 그래서 다음 금요일 저녁 내가 정기적으로 참석하던 임마누엘 성전에서, 의자 뒤쪽에 꽂혀 있는 우리의 성서를 집어 들고 이사야서 53장을 펼쳤죠. 표현법에는 약간의 차이가 있었죠- 하지만 여전히 예수를 말하고 있었어요!" 얼마 지나지 않아 곧 베라는 예수 안에서 그녀의 믿음을 고백했다.[8]

이 세대에 많은 교회들이 믿음을 갖게 되는 이스라엘 자녀들의 증가에 놀라고 있으며, 그것을 기대해 온 이들도 있다. 'The Toward Jerusalem Council II'의 유대인 대표 몇 사람이 최근 두 사람의 저명한 동방정교회 신학자와 만났다. 자신들을 소개하고 사명을- 세상의 교회가 그들을 받아들이게 하는 도전- 설명한 후에, 우리 대표들은 그 학자들의 말을 들었다. "우리는 우리대로의 성서연구를 통해서 당신들이 오리라는 것을 알고 있었어요. 단지 당신들이 이미 이곳에 와 있다는 것만을 우리가 모른 것이죠!"

여러분들은 이제 내가 왜 그 예루살렘 거리에서 이름 모를 형제자매들을 위해 그토록 확신을 가지고 기도했었는지 이해하는가? 그 중에 많은 이들이 머지않아 믿게 될 것을 내가 어떻게 알고 있는지! 조국으로 돌아오는 한 이스라엘의 자녀의 새 소식을 접할 때마다 왜 내 마음이 기쁨으로 고동치는지 또한 이해할 수 있는가? 왜 선지자들의 말이 내 심령 속에 계속 울려 퍼지는지?

수십 세기 전, 여기 열거된 믿음의 사람들이 태어나기 훨씬 오래 전, 호세아, 이사야, 에스겔 그리고 바울은, 그들의 왕을 받아들인- 르우벤, 게리, 스탠 그리고 에델, 베라, 스티븐, 그리고 그 밖에 눈이 떠지고 귀가 들리고 굳어진 마음이 부드러워진- 수많은 이들을 이미 보고 있었다.

노트

1. 그 방문에 이어 단지 6개월 후, 그 회중모임은 200명의 신자들로 증가했다.
2. Reuben Doran, *One New Man*(Embrace Israel, 1996), p. 47.
3. The New Rebel Cry: Jesus is Coming! (Time, June 21, 1971), p. 59.
4. The Theology of Israel's Fiftieth Birthday, 'Teaching from Zion' (Netivyah Bible Instruction ministry, 1998), p. 2.
5. Joel Chernoff, *'The Lord is Gathering His People'* (Charisma, April 1997), P. 53.
6. Stan과 Ethel의 이야기는 그의 책 'Betrayed를 참조(Chosen book, 1981)
7. Dr. Stracher의 이야기는 'Jewish Doctors Meet the Great Physician'에 기록됨(Purple Pomegranate Productions, 1998), pp. 55-68.
8. Ibid. pp. 107-122

부활한 "나사렛 사람들"

나는 유대인이다
사도행전 22:3

3, 4세기 나사렛 공동체들의 소멸로 인해 그렇게 많은 이스라엘 자녀들이 예수아를 믿게 된 것은 아니다. 그러한 방해의 세월 속에서 유대인 신자들은 그들의 하나님이 주신 고유 의식 (ordinances)과 절기들을 포기하고 (이방인)크리스천들의 관습을 받아들이도록 교회로부터 강요당해 왔다. 그 관습들은 때

때로 이전의 이교도 관습 위에 덧칠해 놓은 기독교 신앙이었다. 북유럽 신들을 공경하는 나무와 전야제에 쓰이는 큰 장작들로 겨울을 알리던 축제는 예수 탄생의 축제 'Christ Mass'(크리스마스)로 변형되었다. 유월절은 부활절이 되었고, 이방인에게 요구되지 않던 할례는 유아세례와 침례로 대체되었다. 'Bar Mitzvah'(바르 미츠바: 13세 남자아이의 성인식)는 안수로 대신했고, 유대인 메시아 안에 유대인식 믿음 표현은 실종됐다.

이 모든 것은 1882년 조셉 라비노위츠(Joseph Rabinowitz)라는 이름의 말도바 키시뇨프 출신의 영향력 있는 한 유대인 지도자와 함께 변하기 시작했다. 랍비 가문에서 자란 그는 18세기 계몽사조의 종교회의론에 빠져들었다. 러시아에서 확대되는 유대인 핍박에 직면하여 라비노위츠는 귀환하는 이주자들의 거류지 정착을 고심하며 팔레스타인으로 갔다. 그곳에 있는 동안 그는 감람산에서 자신의 일생을 바꿔 놓은 메시아와의 만남을 갖게 되며 "예수는 왕, 홀로 이스라엘을 구원하실 메시아!"라는 확신을 안고 그의 조국으로 돌아왔다.[1]

3년 후 1885년 1월, '새 언약'(The New Covenant) 이스라엘인들의 첫 번째 성회가 개최되었다. 수많은 인파들이- 어떤 이들은 호기심에, 어떤 이들은 관심에서, 또 다른 이들은 방해하려고 몰려들었다. 그리고 경찰들이 질서유지를 위해 문 앞에 배치됐다. 그러나 그 해 2월초 길거리 데모가 터지면서 라비노위츠가 폭행을 당하고 말았다.

하지만 이러한 일들도 그를 단념케 하지는 못했다. 1890년 러시아 당국의 승인 아래 라비노위츠는 현대 역사에서 첫 메시 아닉 유대인 회당(synagogue)을 열었다. 라비노위츠와 동년 배이며 그의 설교 통역자인 제이콥 웨슬러(Jacob Wechsler)는 말한다. "메시아 예수님을 경배하기 위해 세워진 이 회당에, 안 식일 성회마다 백여 명의 이스라엘인들이 모이게 될 것을 누가 믿으려 했을까요?"[2]

그의 감람산 체험 후, 라비노위츠는 두 가지 주제– 이스라엘 과 예수아(그는 항상 예수의 히브리 이름을 사용했다)에 헌신 했다. 그러나 그는 자신의 유대인 정체성을 포기하려 하지 않 았다. 1899년 임종 시까지 그의 여권은 그를 유대인으로 명시 했다. 자신이 바라던 표현대로 그의 묘비에는 이렇게 새겨져 있다. "여호와(Jehovah)와 그분의 기름 부으신 나사렛 예수아, 유대인의 왕을 믿는– 다윗의 자손 이스라엘인, 조셉 라비노위 츠."[3]

앞으로 올 일들의 징조들

비록 예수아를 믿는 신자임에도 불구하고 그가 여전히 유대 인이었다는 주장은 라비노위츠를 유대인 공동체와 교회 양쪽 의 끝없는 충돌 속으로 몰아넣었다. 마치 초기 "나사렛 공동 체"의 경우에서처럼, 많은 교회들이 그와 무엇을 해야 할지 몰랐고 유대인 공동체는 그를 선조들의 믿음에 대한 배반자(매국노)로 여겼다.

라비노위츠는 "예수아/메시아 안의 믿음만을 통해서 모든 사람들이 율법의 행위 없이 의로워질 수 있다"는 그의 신념에 매우 확고했다. 그러면서도 "우리는 육을 따라서는 아브라함의 혈통이기 때문에 모든 남자 아이들은 하나님이 명하신 대로 팔 일째 되는 날 할례를 받아야 하며, 그리고 우리는 여호와께서 그 팔을 펼치사 애굽 땅으로부터 인도하신 선조들의 후손이므로 모세의 율법에 기록된 것을 따라 안식일, 무교절 그리고 맥추절을 지켜야 한다"고 주장했다.[4]

비록 **교회**가 전반적으론 그의 정통이 아닌 관점에 편하지 못했다 해도 그 중에는 라비노위츠를 마지막 때 예언 성취의 첫 열매로 환영하는 이들도 있었다. 유대 민족에 관한 초기 청교도적 계시에 영향을 받은 많은 선교단체들 또한 그를 받아들일 준비가 되어 있었다. 라이프치이의 구약학 교수며 신약 성경을 히브리어로 번역하고 자신도 히브리 크리스천인 프란츠 델리첵(Franz Delitzsch) 박사도 당시의 최고의 존경을 받아 온 유대인 크리스천 신학자 알프레드 에델샤임(Alfred Edersheim)이 그랬듯이, 라비노위츠에게 호의를 베풀었다.

키시네브 회당은 유대인에게도 비유대인에게도 이상하지만 독특한 조화가 있었다. 모두가 모자를 벗고 앉았으나 'menorah'(예루살렘성전의 아홉 촛대)가 있었고, 토라 두루마리가 들어 있는 언약궤가 홀 앞에 있었다. 회당의 관습으로

그 특정한 안식일을 위해 토라의 한 부분이 안식일 원문으로
읽혀졌다. 라비노위츠는 유대인 방식으로 자주 토라에 입을 맞
추었고 그러면서도 복음서 또한 읽혀지곤 했다.[5)]

새로운 회당을 위한 지원이 영국의 London Mildmay
Mission, 덴마크의 Israel Mission, 스코틀랜드 글래스고우
(Glasgow)와 에딘버그(Edinburgh)의 교회들, Swedish
Mission과 독일 선교단체들로부터 도착하기 시작했다. 라비노
위츠는 상당히 많은 초청들을 받기 시작했다. 1893년 미국에
한 달간 머물면서 그는 그 유명한 전도자 무디(D.L. Moody)로
부터 시카고 세계 대 박람회에서 유대인 청중들에게 설교해 달
라는 초청을 받기도 했다.

라비노위츠는 교파간의 협력 외에는 자신의 위치를 두는데
조심스러웠다. 그는 유대인 회당의 재탄생을 초기 유대인 공동
체의 부활, 유대인 가지의 재-접붙임으로 믿었으며, 자신들의
메시아를 믿는 이스라엘의 이러한 각성은 로마서 11장 15절에
분명히 언급된 "죽어 있는 세상에 최상의 생명을 부여하는 것"
이라고 확신했다.[6)]

동시대 로마 가톨릭 사제이며 작가인 피터 호컨(Peter
Hocken)도 이와 동일한 필요를 인식했다. 그의 책 「The
Glory and the Shame」에서 호컨은 말한다:

크리스천 연합을 위한 메시아닉 유대신앙의 적절한 기여는

지극히 중요해서 이방인 크리스천들에게- 가톨릭이든 개신교든 성령에 충실할 공간을 제공하며, 그들의 독특한 기여는 가톨릭-개신교의 화목을 가능하게 한다.[7]

　바꾸어 말하면, 유대인 신자들이 현대 유대인식 표현 안에서 성서적으로 정통한 믿음을 위해 그들의 길을 찾도록 허락되는 것이 오히려 중요하다는 뜻이다.

　라비노위츠의 전기 작가 카이 캐르 한센(Kai Kjaer Hansen)은 그의 삶을 이러한 말로 정리했다: "라비노위츠 사역의 항구적인 중요성은 맨 먼저, 예수 안의 믿음이 그를 이전의-유대인(ex-Jew)으로 만든 것도 아니고, 또한 침례를 받았다고 해서 그의 유대인 정체성이 물속에 빠져 버린 것도 아니라는- 그의 고집스런 주장 안에 가치를 두고 있다."[8]
　라비노위츠는 유대인 상황을 의사와 환자에 비유했다. 의사는 환자의 병 상태를 진단할 때 몸의 여러 부위를 눌러 보며 이같은 질문을 한다. "이곳이 다친 데죠? 여기가 아프십니까? 여기 통증이 있죠?" 환자는 오직 의사가 몸의 환부를 건드렸을 때만 고통으로 움츠린다.
　라비노위츠가 '타나크'(Tanakh: 히브리어를 영어로 번역한 구약성서)를 비판적으로 말하는 한 아무도 꽁무니 빼지 않았다. 그는 모세의 글이 하나님의 계시가 아니라 단지 인간의 글이라고까지 단언할 수 있었고 유대인 공동체는 이에 침묵했다.

그러나 그가 예수아가 메시아라고 말하면서 그 거룩한 땅에 돌아왔을 때, 온 사방에서 고통의 비명 소리가 들렸다.

세계 도처의 유대인 선교단체들의 열정에도 불구하고 몰도바에서 재건된 라비노위츠의 유대인 회당은 영구성을 잃게 되었다. 그 독특한 유대인 예배당을 위한 러시아 정부의 승인은 오직 라비노위츠에게 개별적으로만 승인되었고 그와 함께 끝나버렸다. 아무 후계자도 없었다. 예배당은 그의 사망 후 문을 닫았고 그리스정교회가 되기 전에 잠시 문을 열었으나, 그 다음에 극장으로 바뀌었다. 그것으로 한 시대의 막이 내리는 것 같았다.

조셉 라비노위츠의 유산

그러나 이스라엘과 유대 백성들 안에 커져 가는 관심의 불길에 활기를 불어넣은 라비노위츠의 기억들은 좀처럼 사라지지 않았다. 이러한 것들 또한 데오도르 헤즐과 시온주의 운동의 세월들, 정부와 교회들이 모두 조국 재탄생의 가능성에 각성하고 있던 그때였음을 기억하라. '히브리 크리스천 미국연맹'(The Hebrew Christian Alliance of America)은 "유대인 신자들의 교제를 위해서 모이며 그들의 백성들에게 빛이 되고자" 1951년에 결성됐다.[9] 유대 백성들은 메시아, 구세주로서의 예수아에 대한 구원의 지식을 깨닫게 되면서 미국, 영국의 주요 도시들 안의 주류 교회들과 합류하기 시작했다.

1928년 7월 '국제 히브리 크리스천 연맹'(International Hebrew Christian Alliance)이 독일 함부르크에서 모였다. 연맹의장 리온 레비손 경(Sir Leon Levison)은 그의 컨퍼런스 연설에서 라비노위츠를 언급했다. 1931년 여름 S.H. 윌킨손 (Wilkinson)은 키쉬네브를 방문해 랍비 라비노위츠의 소유였던 히브리 성경을 읽었다.

라비노위츠를 후원했던 '유대인들을 위한 Mildmay Mission'은 런던에 히브리 크리스천 회중교회를 설립했다. 구원은 전적으로 믿음을 통한 은혜로 말미암는다는 선을 유지하면서 성서적 관습들을 지키자는 취지와 함께 그 같은 다른 회중교회들이 출현하기 시작했다.

그러나 이러한 것들은 라비노위츠가 시작했던 것 같은 그러한 회당들이 아니었다. 메시아를 받아들인 사람들이 기존의 회중교회에 일원이 되길 바라며 유대인 메시아에 대해서 그 백성들에게 증거하는— 일종의 선교였다.

이것은 여전히 1940년 마틴 체르노프(Martin Chernoff)가 자신의 유대인 메시아를 받아들였던 때의 사고방식이었다. 그의 아내 요한나는 그녀의 책 「Born a Jew…Die a Jew'」[10] 에서 그 이야기를 전한다. 마틴은 주님의 열렬한 제자가 되었고 그의 믿음을 유대인과 이방인 양쪽에 열정적으로 나누며 그들 모두 "이방인 교회"에 합류하기를 바랐다. 다음 30년간 그는 기성교회의 체재 안에서 유대인 선교단체의 일을 했다.

메시아닉 유대신앙이 탄생하다

그리고 그 당시 천국의 변화를 가져왔던 그 해, 1967년 늦은 봄 주변의 5개 아랍국가들이 이 나라를 멸망시키려는 의도로 그들의 군대와 전투병기들을 이스라엘 국경으로 이동시켰다. 이스라엘은 6월 5일 그들에게 선제공격을 가해 그 유명한 6일 전쟁(제 3차 중동전쟁)을 시작했다. 전쟁이 끝나면서 웨스턴 월(Western Wall), 템플 마운트(Temple Mount)와 유대의 많은 부분(현재 팔레스타인 영토), 그리고 사마리아(웨스트 뱅크)를 포함한 예루살렘이 이스라엘의 통제 안에 들어갔다.

그와 비슷한 무렵 예수를 믿는 유대인 신자들의 두드러진 증가가 나타나기 시작했다. 미국에서는 그들 중 많은 이들이, 그 시초를 1967년에 둔 예수운동을 통해서 일어났다. 이 많은 열렬한 젊은 신자들을 제자화하기 위한 필요는 체르노프에게 큰 시각의 전환을 가져왔다.

히브리 크리스천 미국연맹 컨퍼런스가 6일 전쟁이 끝난 바로 며칠 후 개최됐고 거기서 체르노프는 변화의 분위기를 감지했다. 그들 모두 격앙되어 있었다– 분명 예루살렘의 재탈환은 하늘로부터의 또 다른 신호였다. 그들은 예언하는 랍비와 신학자들이 말하려 하는 것들을 간절히 듣기 원했다.

혼란스러울 뿐이었다. 유대인들도 이방인 신자들도 최근의 뉴스들을 어떻게 해석해야 할지 몰랐고 한 사람의 컨퍼런스 강사도 그것을 언급하지 않았다. 마틴과 요한나는 이러한 학자들

대부분이 예루살렘은 메시아의 귀환 시까지 이스라엘의 통제 안에 돌아오지 않을 것이라고 가르쳐 왔다는 것을 모르고 있었다. 자신들의 신학을 재정리할 시간이 없었기에 그저 침묵했던 것이다!

그 다음 몇 년간 마틴과 요한나는 그들의 젊은 양무리들을 위한 하나님의 마음을 듣기 위해서 씨름했다. 100년 전 라비노위츠처럼 이 유대인 신자들도 그들의 유대인 의식을 버릴 만한 아무런 이유도 찾지 못했다. 그들은 예수아의 추종자들로서 사도행전 초기 신자들처럼 유대인 회당에서 예배하기 원하는 유대인들이었다. 하지만 선택의 여지가 없었다.

1970년 초 마틴은 주님으로부터 한 환상의 지시를 받는다. 두 단어가 깃발 모양으로 하늘을 가로질러 장식되어 있었다: 'Messianic Judaism'(메시아닉 유대신앙). 그는 그것을 교회의 형식에 묶이지 않고 믿는 자들의 몸을 이루어야 할 때가 왔다는 의미로 이해했다. 예수 믿는 신자들의 유대인 회당을 열어야 할 때였다. 그 해 10월 체르노프는 선교회 이사를 사임하고 오하이오 신시내티에서 'Congregation Beth Messiah'를 조직했다. 후에 그들은 필라델피아로 옮겨 '히브리 크리스천 연맹'과의 관계를 지속하는 한편 또 하나의 메시아닉 회중모임 'Beth Yeshua'의 리더로 섬기게 된다. 1975년 베스 예수아와 함께 그 운동의 최전방 비저너리 회중모임의 하나인, '메시아닉 유대인 미국연맹'(Messianic Jewish Alliance of

America)으로 이름이 바뀌었다. 현재 MJAA와 연합된 80여 개 회중모임들이 있다.

역사학자 데이비드 라우쉬(David Rausch)는 말한다. "그 이름이 바뀌고… 한 의미상의 표현보다 한층 더 의미심장한- 그것은 생각의 과정 속에서 하나의 혁명으로, 유대인 정체성의 더 열렬한 표현을 향한, 종교적, 철학적 관점을 보여 주는 것이었다."[11]

다른 유대인들의 마음에도 이와 유사한 자극들이 있었다. 마티 왈드맨은 그가 믿음을 갖게 되었던 70년대 중반, 이방인 교회 안에서 한 사람의 유대인이 된다는 것에 대한 자신의 느낌들을 설명했다:

"일반적으로는 이방인교회 안에서 환영을 받았다고 해도, 내 믿음 안에서 동일하게 유대인으로 남고 싶은 마음의 소원은 용기를 잃었을 뿐만 아니라, 종종 혼동과 함께 "유대인화"의 비난조차도 가져왔음을 곧 알게 됐다. 예수를 쫓는 한 사람의 새 유대인으로서 나는 사라지지 않는 정체성의 위기를 경험하고 있었다."[12]

오늘날 마티는 텍사스 댈러스의 한 메시아닉 회당, 'Baruch HaShem' (바루크 하셈)의 영적 지도자이다.

대니얼 주스터(Daniel Juster)는 네덜란드 개혁교회에서 믿음을 갖기 시작해 장로교회에서 안수 받았다. 그는 다시 유대인으로 되돌아가 70년대 후반에 '메시아닉 유대인 회중 연합(The Union of Messianic Jewish Congregations)의 창립 회장이 되었다. 80여 개의 회중모임이 UMJC안에 멤버십을 두고 있다. 그 후 주스터는 이스라엘과 구 소련의 언약의 동반자들과 함께 미국의 회중모임들을 감독하는 *Tikkun*(티쿤: 회복) 네트워크를 돕기 시작했다.[13]

'메시아닉 회중모임 국제 동맹'(The International Federation of Messianic Congregations)은 예수아 안에서 'Sephardic'(스페인, 포르투갈의 유대인)의 부흥을 위해 기도하며 일하는 한 조그마한 단체다. 이 조직은 중남미는 물론 미국 안에서 많은 회중 모임들을 감독한다.

이 어느 것들도 주님이 그 언약의 백성들의 마음을 열기 위해 하늘에서 그 예언의 열쇠들을 돌리셨던 그 해 1967년 이전에는 존재하지 않았다.

공산주의의 몰락- 복음주의의 진보

1980년대의 메시아닉 유대신앙은 예수아 믿음에 대한 모나지 않는 유대인식 표현을 개발하는데 필연적으로 관계했다. 결혼식, 성인식(Bar Mitzvahs), 주간학교, 메시아닉 랍비들을 훈련시키기 위한 '예시바'(Yeshivot: 탈무드 학교)- 모두가 출현했으나 초기 1세기 메시아닉 공동체의 한 가지 필수적인 요소가 여전히 부족했다- '사도적 사역'(apostolic outreach)이 었다. 90년대 초 공산주의의 몰락 후 놀라울 만한 영적 갈급이 동 유럽 안에 표면화됐고 그것은 추수를 위해 무르익은 들판이 되었다. 'Hear O Israel Ministries'의 대표이사 엔터 조나단 버니스(Enter Jonathan Bernis)는 핍박의 세대와 공산주의 의 무신론적 사상주입 후 그들의 유대인 정체성을 저버렸던 많 은 동 유럽의 이스라엘 자녀들에게 복음을 심어야 한다는 비전 을 갖게 되었다. 그의 조직은 유대인의 문화 축제들을 후원하 고 홀로코스트 생존자들을 돕기 시작하여 그들 중 많은 이들이 메시아를 받아들였다. 그의 보고다. "1993년도 우리의 첫 페스 티벌 이후 125,000명이 넘는 러시아 유대인들이 메시아를 믿 는다는 고백을 했고, 10여 개가 넘는 메시아닉 유대인 회중교 회들이 개척되어 번영하고 있다."14)

오늘날 메시아닉 회중교회들은 캐나다, 서유럽, 남미, 뉴질 랜드 그리고 호주에서 또한 번창하고 있다. 이 회중교회들은 그들의 공통된 믿음 안에서 유대인들과 이방인들이 함께 모인 다. 아시아와 아프리카의 교회들은 이스라엘을 향한 하나님의 돌이킬 수 없는 부르심과 유대 민족의 뿌리의 회복을 위해 각 성하고 있다. 일생을 거의 아랍인들과 보내 온 한 친구의 말에 의하면, 이스마엘 후손들 가운데조차도 "구원은 유대인으로부 터"(요 4:22)라는 인식이 커져 간다고 한다.

조셉 술람(Joseph Shulam)은 히브리어로 설교하는 예루살렘의 9개 회중교회들을 보고한다. 이스라엘의 나머지 지역들로부터의 보고는 아직 놀랄 만큼은 아니라도 꽤 고무적이다. 어떤 회중교회들은 250명씩이나 모인다. 단지 몇 사람들로만 구성된 가정 모임들도 있다. 카이 케어 한센과 보딜 스코트 (Bodil F. Skjott)가 실시하여 예루살렘에서 출판된 한 최근 조사에 의하면, 이스라엘 전역에 이제 81개의 회중교회와 가정그룹들이 모이고 있다.[15]

이러한 예수 믿는 회당들에는 유대인 신자들뿐만 아니라 이스라엘을 향한 하나님의 부르심에 확신하여, 자신들의 유대인 뿌리와 결속하고 있는 언약의 이방인 동반자들도 있다− 미래를 보는 하나의 예견이다.

1967년에는 아무런 메시아닉 유대인 회중교회도 세상에 없었다. 〈Christianity Today〉 기사에 의하면 오늘날 350개가 넘는다고 한다.[16] 1967년에는 유대 백성들 안에 대략 2,000명의 예수 믿는 신자들이 있었지만, 〈카리스마〉 매거진은 미국 안에서만 백만 명이 넘는 유대 백성들이 "예수 믿는다는 나름대로의" 표현을 한다고 1990년대의 조사를 언급한다.[17]

이제 예수를 메시아로 받아들인 유대 백성들을 만나는 것은 더 이상 이례적인 일이 아니다. 그들 중 많은 신자들이 비유대인식 표현 안에서 아직 **교회**의 한 부분이다. 어떤 이들은 그들 지역의 회당에 남아 있기도 하며 점점 더 예수 믿는 회당들이 세워지면서 변화가 일어나고 있다. 이러한 회당들에는 유대인 신자들뿐만 아니라 이스라엘을 향한 하나님의 부르심에 확신하여 자신들의 유대인 뿌리와 결속하고 있는 언약의 이방인 동반자들도 있다— 미래를 보는 하나의 예견이다.

적대 세력 가운데서의 성장

때때로 격렬한 저항에도 불구하고 새 윤곽들이 드러나고 있다. 필라델피아 베스 예수아 초기 동안에는 폭탄의 위협과 죽음의 협박들이 있었다. 자동차 타이어들이 펑크 나고 어린애들까지 침을 뱉었다. 일반 유대인 공동체는 메시아닉 회당이 자기들 지역 안에서 부동산과 건물들을 구입하려 하자 화가 났다. 그들은 게시판에 "당신 이웃에 이 신흥종교를 조심하시오, 당신의 자녀들을 보호할 필요가 있습니다!"란 경고문들을 붙였다.[18]

반대 데모시위가 일요일 아침에 계획됐다. 참가자들을 가득 채운 버스가 다른 도시들로부터 도착했다. 베스 예수아 멤버들은 이 의도된 위협을 유대인 음악과 춤 그리고 유대인 메시아 선포의 축제로 바꾸어 놓았다.

그리 오래 되지 않아 텍사스 댈러스에 기관총을 휘두르는 한 신-나치주의자가 그들의 조용한 동네에 침범했을 때, 바루크 하셈 회중교회는 안식일 아침 예배로 모이고 있었다. 아무도 살해당하지 않았다는 사실은 오직 주님의 은혜로만 설명될 수 있다.

그 남자가 두 번씩이나 총을 겨누고 방아쇠를 당겼지만 불가사의하게도 아무도 다친 사람 없이 그 총은 허공에다 불을 뿜어냈을 뿐이었다. 엄마와 아이들이 두려움에 얼어붙어 어떤 이들은 경찰이 도착해 그를 진압하기 전에 사격권에서 탈출하려고 창문으로 기어나가다 많이 다쳤다. 그는 유죄를 선고 받고 현재 감옥에서 복역 중이다.

구 소련권 안에서의 적대 세력 또한 잔인했다. 한 메시아닉 유대인 페스티벌과 컨퍼런스가, 참석자들의 보호와 안전을 보장할 수 없다는 경찰의 이유 때문에 취소됐다. 다른 이벤트에선 거듭된 폭탄의 위협 때문에 큰 홀들이 공연 도중에 비워지기도 했다.

저항 세력은 이스라엘에서도 마찬가지로 증가하고 있다. 이주하려 돌아오는 신자들은 그들의 믿음의 근거로 인해서 시민권이 거부됐다. 이스라엘 토박이인 사브라(Sabra)와 신자들이 구타를 당했다. 집과 회당들이 파괴되고 안식일 예배가 드려지는 동안에 회중교회가 포위당하는 사건들도 있었다. 예배자들은 경찰 병력이 안전케 할 때까지 그곳을 떠날 수 없었다.

이러한 시나리오는 점점 더 초기 시대를 닮아가고 있다. 하지만 그 "나사렛 사람들"은 그 땅에 머무르기 위해 지금 돌아오고 있다!

새로운 일

이러한 회당들이 세워지면서 많은 질문들이 있어 왔다. 라비 노위츠의 기준은 백 년이 지나 버렸고 라비노위츠 그 자신도 모든 답변을 갖고 있지는 않았다.

유대인 유산의 어느 부분이 유지되어야 하고 어떤 부분은 버려야 하나? 새 회당 안에는 무엇이 편입돼야 하는가? 어떠한 유대인식 표현은 타당하고, 새로 얻은 믿음을 위해 서로 교차된 목적에는 어떤 방향이 적합한가?

토라 두루마리는 있어야 하나? 회중들은 매주 그 토라를 읽어야 하고 성회는 안식일에 열어야 하는가? 어떤 종류의 예배 음악이 사용돼야 하며 예배에 워십댄스를 도입해야 하나? 남자들은 'yarmulke' - 조그만 머리덮개를 써야 하나? 'tallith' - 기도와 예배 시 유대인 어깨걸이는? 회당 지도자들은 랍비라고 불려져야 하는가? 유대인 예배의식은 어느 정도, 얼마만큼 해야 하는가?

유대인의 정체성을 버리지 않으면서 (이방인)교회로부터 얼마만큼을 받아들여야 하나? 이 운동에 합류하기 원하는 이방인들은 무엇을 해야 하나? 리더십에 그들도 고려돼야 하나? 만일 이방인들이 합류한다면 유대인 정체성을 유지하기 위해서 할 수 있는 것은 무엇인가? 어떻게 하면 유대인들이 이방인 교회와 연합하면서 유대인으로 남을 수 있는가? 댄 주스터는 그의 책 「Jewish Roots」에서 이렇게 썼다:

때때로 메시아닉 유대인들은 그들의 유대인식 뿌리를 되찾으려는 탐구에서 랍비풍의 관습들과 랍비식 예배에 사로잡히게 되었다. 나는 랍비풍의 유대신앙이 나의 유대인 회복기 초기 시절에 깨달았었던 것보다 성서적 믿음에서 더 심각하게 벗어나 있다는 사실을 확신하게 됐다… 신약성경의 분위기는 히브리 성서의 정신을 골고루 그리고 심오하게 전달했다. 랍비교리(Rabbinism)의 본질은, 인간 이성과 함께 계시로 대체되어 심하게 이탈되었고… 유대인인 우리는 랍비식(Rabbinic) 유대인들이 아닌, 성서적 새 언약의 유대인들이다![19)

주스터는 이 새롭게 부활한 공동체가– 유대인의 삶과 관습의 배경 안에서 믿음의 충만함을 반영할 더 창조적인 요소들의 생산을 격려해야 한다고 믿었다. 이러한 영역들은 유대인 댄스, 음식, 하누카 축제(성전 헌당), 부림절 행사, 'Bar and Bat Mitzvahs' (12세, 13세 소년 소녀들의 축제), 'chupah' – 결혼예식의 피로연 파티를 위해 사용되는 덮개들, 이 모두가 토라를 공경하는 유대인 믿음과 예수아–확신의 타당한 표현들이다. 안식일에 토라와 하프토라– 예언서들과 역사서들을 읽는 것 또한 거대한 유대인 공동체의 연결을 지켜주는 것이다.

이러한 질문들의 답변에 항상 동의가 있는 것만은 아니다. 몇 년 동안 UMJC(메시아닉 유대인 회중 연합)과 MJAA(메시아닉 유대인 미국 연맹)은 서로의 사이가 크게 멀어 졌었다. 그러나 성숙과 은혜가 증가하면서 이 운동들은 화목을 가져오고 오늘날 새롭게 회복된 교제를 나누고 있다.

교회 역시 이 부활한 공동체의 평가를 계속한다. ⟨Morning Star Journal⟩의 발행인이며 작가인 릭 조이너(Rick Joyner), 처음에 그는 교회로부터 어느 정도의 거리를 유지하려는 메시아닉 운동의 그러한 결정에 방해 받았다고 썼다. 나중에야 거리를 두었던 일이 필요했었음을 알게 되었다.

가르침이 있어 왔듯이, 관계를 위한 세 가지 기본 단계들이 있다. 그 첫 번째 단계는 공의존(codependence)이며, 그 다음 단계는 자주독립(independence)이다. 그리고 마지막으로 우리가 애쓸 필요가 있는 가장 높은 단계인 상호의존(interdependence)이다.

공의존 단계에서 약한 성격은 보통 강한 성격 안에 삼켜져 버린다. 이 때문에 하나의 인격은, 그들이 그들 자신의 정체성을 발견하고 그 안에 안전케 될 때, 통상 자주독립의 단계를 거쳐야만 하며, 그 다음 최상의 단계– 상호의존으로 갈 수 있는 것이다. 이러한 이유로 메시아닉 운동은 자신들의 정체성이 확립될 때까지 **교회**로부터의 자주독립 상태가 필요했으며, 그 정체성은 **교회**와의 관계를 위해 충분히 강해야 했고 그래야 삼켜지지 않는 것이다.[20]

우리 시대 그토록 많은 유대 백성들이 메시아에게 돌아옴으로 그 백성들을 향한 하나님의 사랑의 언약을 다시 확증해 주고 있다. 우리는 유대인들의 눈이 열리는 이사야 비전의 성취를 살아가는 것이다. 우리는 이스라엘이 "여호와를 경외함으로" 돌아오리라고 호세아가 예언한 것을(호 3:5) 체험하고 있다. 에스겔이 말한 그 소생된 몸 안으로 성령의 호흡이 부는 것을 지켜보고 있다. 재 접붙임에 관한 사도 바울의 말은 더욱 무게가 실린다. 그날 예수님이 성전을 내려다보며 하신 말씀을 새롭게 곰곰이 생각한다. "이런 일이 되기를 시작하거든 일어나 머리를 들라 너희 속량이 가까웠느니라"(눅 21:28).

주님은 그분이 사랑하시는 이스라엘 없이, 역사의 커튼을 닫으려 하지 않으신다.

노트
_____

1. Kai Kjaer Hansen, Joseph Rabinowitz and Messianic Movement: *The Herzl of Jewish Christianity*(Wm. B. Eerdmans, 1995), p. 19.
2. Ibid, p. 74.
3. Ibid. p. 70.
4. Ibid. p. 104.
5. Ibid. p. 151, 152.
6. Ibid. p. 5.
7. Peter Hocken, *The Glory and the Shame*: Reflection on the 20th Century Outpouring of the Holy Spirit(Eagle, 1994), p. 160.
8. Kai Kjaer Hansen, Joseph Rabinowitz and the Messianic Movement, p. 233.
9. 1915년 히브리 크리스천 연맹의 설립은 Michael Schiffman의 Return of the

Remnant- The Rebirth of Messianic Judaism에 기록됨 (Lederer Messianic Publishers, 1992), p. 27.

10. Chernoff의 완전한 이야기는 요한나 체르노프의 'Born a Jew… Die a Jew: The story of Martin Chernoff, a Pioneer in Messianic Judaism' 을 참조 (EBED Publications, 1996)

11. David Rausch, 'Born a Jew… Die a Jew' 에서 인용, p. 178.

12. Martin Waldman, 'Reconciliation: A Jewish-Gentile Issue Facing the Church Today' (Unpublished), p. 2.

13. 티쿤에 대한 자세한 정보는 부록 C를 참조

14. Jonathan Bernis, 'Have You Hugged a (Messianic) Jew Lately?' Charisma, (April 1997), p. 68.

15. Kai Kjaer Hansen and Bodil F. Skjott, Facts & Myths about the Messianic Congregation in Israel(Jerusalem: United Christian Council in Israel in cooperation with the Caspari Center for Biblical and Jewish studies, 1999), p. 16.

16. Gary Thomas, 'The Return of the Jewish Church' Christianity Today, (September 1998), p. 63.

17. Thomas, 'The Lord is Gathering His People' , Charisma, (April 1997), p. 54..

18. Chernoff, Born a Jew… Die a Jew, pp. 183-197.

19. Dan Juster, Introduction to Jewish Roots: A Foundation of Biblical Theology (Destiny Image Publishers, 1995).

20. Rick Joyner, 'The Messianic Movement' Morning Star Journal, vol. 10 (MorningStar Publications, 1999), p. 42.

제11장

유대인과 이방인 - "한 새 사람"

이는 둘로 자기 안에서 한 새 사람을 지어 화평하게 하시고
에베소서 2:15

"난 혼동되네요! 예수아가 유대인 메시아 아닌가요? 우리의
상속이 아니에요? **교회**가 내게 더 비유대인처럼 되라고 요구
하기 보다는 오히려 자신들의 유대인 뿌리를 긍정해야 하는 것
아닌가요? **교회**가 이해하길 바라는 내가 틀린 건가요?"

유대인과 이방인 신자들의 가정모임에서 최근 이스라엘에서

우리 도시로 이사 온 한 여인에 의해 이러한 질문들이 거론되었다. 그녀는 그 공동체 안에서 자기 자리를 찾는데 어려움을 겪고 있었다.

나는 예루살렘 메시아닉 회중교회의 일원인 유대인 부부 데이비드 & 마서 스턴(David & Martha Stern)의 이야기를 떠올렸다. 한 대형 미국교회의 목사와의 대화에서 그 목사는 한 존경 받는 메시아닉 지도자에 대해서 목청을 높였다. "그런데 왜 그가 그토록 유대인식 이어야 하는 거죠?" 그러자 마서가 즉각 반응했다. "그러면 당신들은 왜 그토록 이방인식 이어야 하는 거죠?"

교회는 메시아의 믿음 안에서 일종의 이방-모압식 표현이 돼 버렸다. 그리고 여전히 우리는 우리 교회들이 문화적인 중립이라고 생각하면서 왜 유대인 신자들이 우리에게서 반가움을 느끼려 하지 않는지 의아해 한다. 우리를 낳은 그 가문으로부터 우리가 얼마나 멀리 이동해 왔는지 깨닫지 못하면서 말이다. 우리는 바울의 에베소서를 읽으며 그가 유대인과 이방인을 "한 새 사람"으로 말한 것을 본다(2:15). 교회는 이 한 새 사람을 유대인 신자들이 더해 져서 혼합된 일반적인 교회같이 여기며, 유대인 신자들은 그 반대로 교회가 어떻게 그토록 무감각해질 수 있는지 종종 의아해 한다.

유대인식 유산을 존중하기

비록 초기 이방인 신자들에게 유대인식이 되라는 요구가 없었다 해도, 메시아의 믿음을 이해하기 위해선 그들의 유대인식 뿌리와 유산들을 배워야 할 필요가 있었다. 신약성경의 말씀들은 오직 히브리 성서들에 의해- 토라와 예언서인 구약성경- 덧입혀졌을 때 올바로 이해될 수 있는 것이다. 이 초기 이방인 신자들은 단지 그러한 유대인 성서만을 가지고 있었고, 그래서 히브리 성서, 타나크(Tanakh)를 배우고 있었다. 점차 사도들의 새로운 글들만이 권위를 얻어 갔다.

신약성경 전체에서 이방인 독자들을 위해 쓰여진 많은 부분들이 타나크에 뿌리를 두고 있다. 예수님은 '고난 받으신 종 그리고 하나님의 어린 양'이다. 유대인 혈통은 유대인과 이방인 양쪽 모두의 유산이다. 창세기, 노아의 홍수, 바벨탑, 아브라함의 부르심, 이삭의 제사, 이스라엘의 애굽으로부터 해방, 모세의 인도, 이스라엘 왕국의 설립- 이러한 사건들은 모든 역사를 이해하는 그 배경들의 실례이다.

바울이 말한 이 초기의 "한 새 사람"은 토라를 준수하는 유대인 신자들이 예수아 안에서 이방인들과 함께 화해하는 것이었다. 율법을 지키라고 결코 요구 받진 않았지만, 그럼에도 불구하고 그들의 유대인식 배경 안에서 기초가 잘 다져진 것이었다.

그 당시 대부분의 이방 도시에 쓰여졌던 바울의 로마서신은 이제 이스라엘의 유일하신 참 하나님 안에서와 이스라엘의 메시아 안에서 신자들이 된- 그러한 이전 이교도들의 믿음을 세우기 위한 사역으로서- 유대인들과 이방인들 양쪽 모두를 계속 언급한다.

세 번씩 바울은 복음의 적용이 "먼저는 유대인에게"(롬 1:16; 2:9,10)라고 말한다. 바울 자신도 특별히 이방인들을 위해 부르심 받았지만, 그들의 왕을 거부한 이스라엘 때문에 여전히 그의 마음속에 "큰 슬픔과 그치지 않는 고뇌"가 있음을 (9:2) 로마서 독자들에게 상기시킨다. "저희는 이스라엘 사람이라 저희에게는 양자됨과 영광과 언약들과 율법을 세우신 것과 예배와 약속들이 있고"(9:4). 그는 비유대인들에게도 그들 또한 이제 믿음의 가족 안으로 받아들여졌음을 확신시키며, 구원에 관한 한 "유대인이나 이방인이나 차별이 없으나" 하지만 "하나님의 은사와 부르심에는 후회하심이 없느니라"(11:29)고 전했다.

바울은 이 이전의 이교도들이 매 안식일마다 토라가 읽혀지던 회당에 나가 본 적이 전혀 없었음에도 자주 율법을 말했다.

또 다른 바울 서신이 "큰 여신 아데미(Artemis) 신전"(행 19:27)의 도시로 알려진 에베소에 쓰여졌다. 바울은 에베소 신자들에게 이전에는 그들이 "[메시아]와 분리되어 있었고 이스라엘의 시민권에서 제외되었으나"(엡 2:12), 이제는 그들이 "더 이상 외인도 나그네도 아니요 오직 성도들과 동일한 시민"

(2:19)이며, "이스라엘과 함께 상속자가"(3:6) 되었다고 상기시 킨다.

하나님의 백성들과 동일한 시민? 이스라엘과 함께 상속자? 바로 이러한 개념이 그의 독자들 중 어떤 이들의 비위를 거스 르게 했었음이 틀림없지만, 그것이 바울을 단념케 하지는 못했 다. 그의 에베소 독자들은 "전에 멀리 있던" 자들이지만 "그리 스도 안에서 [메시아]의 피로 가까워진 것이다"(엡 2:13). 그들 은 하나님과 서로에게 화목하게 됐으며 양쪽 모두 "한 성령 안 에서 아버지께 나아감"(2:18) 얻은 것이다.

룻(이방인들)은 보아스(유대 백성들)를 대신한 것이 아니라 오직 그에게 합류하여- 그 가문의 일원으로, 그의 땅의한 시민 으로 그의 약속들의 참여자가 된 것이다. 그녀는 기근의 땅으 로부터 와서 풍요의 집 안으로 환영 받았다. 그녀는 이제 보아 스와 함께하는 하나의 상속자이나, 그를 대신한 상속자는 아니 다. 그녀는 한때 보아스가 받았던 약속의 언약에 외인이었지만 이제 그 약속들을 함께 나누는 자다. 그녀는 "더 이상 이방인들 이 하는 것처럼 살지 않으려고" 신중했었음이 틀림없다(엡 4:17).

에베소서 안에는 히브리 성서의 다소 함축된 지식들이 들어 있다. 이 지식은 바울이 2년 넘도록 초기의 그 도시 방문을 지 속했었기 때문에, 그 이전 아데미 여신 숭배자들 안에 내재해 있었다(행 19:1-20).

예루살렘 공회는(행 15) 할례와 절기들, 정결한 생활

(kosher)과 안식일이 이방인들을 묶어놓고 있지 않다는 것을 분명히 했다. 바울은 이러한 쟁점들을 로마인들(롬 14:1-8)과 골로새인들(골 2:16,17) 모두에게 공포한다. 그러나 초기의 이방인 회심자들 중에는 그 절기들을 지키는 이들도 있었다. 이것은 유월절을 준수하던 방식에 대해서 바울이 사람들을 경고했던 고린도에서도 사실이었다(고전 5:7). 우리는 이방인들이 어느 날(천년왕국 안에서?) 그 절기들을 지킬 것이라는 것(슥 14:16,17)을 확실히 알고 있다.

그 일을 위해 내게 생명을 가져다 준 그 가문의 구원뿐만 아니라 나 자신의 죽음으로부터의 구원을 기념하여, 한 사람의 이방인인 내가 유대인 달력의 유월절을 지키는 것이 틀린 일일까? 양자됨으로 그 언약의 가문의 일원이 된 내가 이 땅의 종된 삶으로부터 약속된 상속 안으로 우리를 인도하고자 어느 날 또 하나의 장엄한 출애굽으로 구원하러 오실, 언제나 약속을 지키시는 하나님에 대해서 말하려고 이 시간들을 사용하는 것이 주님을 기쁘시게 할까?

장막절 기간 중 나는 왜 현관 뒤쪽에 '장막'(sukkah)를 세우려 하지 않았을까? 왜 그 시간들을 나의 자녀와 손자들에게 잠시 있다가는 우리 존재의 속성, 우리 가운데 장막으로 거하시는 예수님, 40년간의 광야생활 중 "우리의" 백성들이 체험했던 그분의 공급하심을 가르칠 절호의 기회로 삼지 않았을까?

하나님의 달력, 유월절(Pesach)의 십자가 처형 사건 50일

후 장막절(Sukkoth) 연례 기념일보다 성령의 강림을 말하기에 더 좋은 시간이 어디 있는가? 우리 상호간의 믿음의 유산을 표현하며, 이러한 특정 절기들을 지키는 이방인들에게 부요함이 얼마나 넘치겠는가?

일치를 위해 돌아오다

초기 회중교회들 안에서 유대인과 이방인은 사랑과 일치로 함께 살았다. 바울이 갈라디아인들에게 말했듯이 진실로 "유대인이나 헬라인이나" 다 하나지만(갈 3:28) 그것이 그들 간의 차이점을 근절시키지는 못했다.(동시에 바울은 또한 여자나 남자나 "[메시아] 안에서 하나"라고 말했다. 과연 누가 그 말에 질문하려 했겠는가?)

구원은 유대인을 통해서 온다는- "먼저는 유대인에게"로 설교된- 그 사실은 어떤 이들에게도 모욕이 될 것까지는 없다. 예컨대 이스라엘의 정체성을 인정하기 힘들어 해 온 주변의 아랍 국가들은, 그들이 이스라엘의 메시아와 그리고 하나님에 의해서 양도된 그 땅에 대한 이스라엘의 권리를 인정할 때, 오직 자신들의 예정된 운명 안으로 들어가게 될 것이다.

에스겔은 "타국인들이"- 야곱의 12지파 후손들이 아닌 자들- 이스라엘의 지파들과 함께 상속의 대열에서 "본토 태생의 이스라엘인들"처럼 여겨지게 될 그 때에 대해서 구체적으로 언급했다(겔 47:22). 그러나 오직 하나님의 선택 받은 이 가문을 존중하며 합류할 때 말이다.

이사야는 비유대인들이 제사장과 레위인으로 지명되게 될 그 때를 예견했다(사 66:18-21). 비유대인들은 그들이 오직 유대인 메시아에게 인정하며 복종할 때, 그들의 온전한 상속에 들어간다.

역사의 짧은 순간 동안, 1세기 초 유대인 사도들이 열방에 복음을 전하면서 유대인과 이방인의 황홀한 혼합이 존재했다. 그러나 그 독특한 혼합은 이방인들이 유대인 성서는 지켰으나 유대인식 전통을 부인하면서 훼손되기 시작했다. 그들의 일치는 교회가 유대인 신자들에게 그들의 하나님이 지명하시고 메시아 안에서 성취된 고유 관습과 절기들을 버리고, 대체로 이교사상 안에 뿌리를 둔 이방인 문화에 합류하라고 요구하기 시작했을 때, 더 큰 손상을 입게 되었다. "이방인의 때"에 대한 예수님의 언급을 이제 이해할 수 있었다.

이방인의 때

예수님도 바울도 모두 이방인의 때에 대해서 암시했다: 예수님은 "이방인의 때가" 차기까지를 말씀하셨고(눅 21:24) 바울은 변화가 있기 전에 "이방인들의 충만한 수가 들어오리라"고 (롬 11:25) 말했다. 바울은 유대인들이 더 이상 믿게 되지 않으리라고 의미한 것이 아니었다. 단지 이스라엘이 메시아를 받아들이기 시작했을 때 갑자기 일어날 위대한 부흥을 언급했던 것이다(11:12). 바울이 의미했던 것은 무엇인가? 무엇을 예수님이 언급하셨던 것인가?

이스라엘의 역사는 아브라함의 부르심에서 고넬료의 세례까지 "유대인의 때"였다. 비록 하나님이 스스로를 아브라함과 약속의 자녀들 외에 다른 이들에게 계시하셨던 경우들이 있었지만, 가장 일관적이고 선명한 계시들은 이 언약의 가문을 위해서 예비되었다. 오직 그들에게만 메시아를 통해서 미래의 구속을 보는 예언적 통찰이 주어졌었다.

우리는 유대인 리더십이 주님의 몸 전체를 위해 회복되는 것을 보려 하고 있다.

고넬료의 놀라운 초청사건으로 급속한 전환이 시작됐다. 수년 내에 리더십은 변했고 그 다음 19세기 동안 우리는 "이방인의 때"로 들어갔다. 놀랍게도, 유대인의 경외법전은 토라 이전의 이천 년, 토라의 이천 년 그리고 이방인들의 이천 년을 말한다. 그 다음 메시아가 오셔서 "안식의" 7번째 천 년으로 인도하신다.

오늘날 그 광경이 다시 변하고 있다. 이스라엘이 돌아오고 바울이 예견했던 것처럼 위대한 부흥이 지구촌을 덮어가고 있다. 이방인들이 오랜 세기에 걸친 반유대사상을 회개하고 있으며 다시 유대인의 뿌리를 회복하고 있다. 유대 백성들을 위한 사랑이 이방인 교회들의 마음 안에 주권적으로 부어지고 있다. "그 날에는 말이 다른 이방 백성 열 명이 유다 사람 하나의 옷자락을 잡을 것이라 곧 잡고 말하기를─ 문자적으로나 비유적으로나─ 하나님이 너희와 함께 하심을 들었나니 우리가 너희와 함께 가려 하노라 하리라"(슥 8:23).

우리는 유대인 리더십이 주님의 몸 전체를 위해 회복되는 것을 보기 직전에 있다. 우리는 유대 국가가 예수/예수아의 예배자들로 알려지게 될 그 시간으로 들어가고 있으며, 온 **교회**가 모든 열방의 빛으로서의 이스라엘의 성취된 역할을(사 60:3) 존중하고 받아들일 것이다. 이 진술이 억지 같다면 지난 50년간의 사건들이 이미 한 세대 전에 불가능한 것으로 간주됐을 것이다!

우리가 기대해야 하는 것은 하나의 결합된 유대인/이방인 리더십일 수도 있다. 우선, 유대인들의 때에 그 리더십은 유대인들이었다. 그 다음 이방인들의 때가 왔다. 그러나 주님의 귀환 이전에 유대인/이방인 신부가 함께 나오는 것을 보게 될 것이다.

유대인에서 이방인 리더십으로의 전환은 몇 세기가 요구됐다. 유대인/이방인 리더십으로의 이동은 아직 그 초기 단계에 있으며 우리는 그것이 어떤 형태를 취할 지 확신할 수 없다. 한 가지 분명한 것은 유대인 신자들이 정착하고 있다는 것이고, 또 하나 동등하게 분명한 것은 주님의 온전한 몸 안에서 유대인 리더십이 다시 일어나고 있다는 것이다. 더욱이 예루살렘, 이스라엘 그리고 유대 백성들이 다시 세계 역사의 예언 성취 단계 안으로 움직이고 있다.

예루살렘과 이스라엘의 미래 역할

하나님이 이사야를 통해서 "일어나라 빛을 발하라 이는 네 빛이 이르렀고… 나라들은 네 빛으로… 나아오리라"(사 60:1,3)고 말씀하신 것은 이스라엘과 이스라엘의 메시아에게였다. 그 예언은 단지 초기 세기들 안에서 부분적으로 성취됐다. 이스라엘의 온전한 운명은 머지않아 실현되어야 한다. 의와 찬송의 국제적 부흥은 여전히 진행되며(사 61:11) 미래 언젠가 세상 열방들이 연례 장막절에 참가하게 될 것이다(슥 14:16). 매월 초하루와 안식일, 하나님 달력은 모든 인류를 위한 회복의 의미를 가져올 것이며(사 66:23), 예수님 자신도 하나님의 성취된 나라 안에서 유월절 음식을 드실 것이다(눅 22:16).

예루살렘, 시온 그리고 이스라엘은 존귀히 여김을 받는 이름들이 될 것이며, 이전에 압제하던 자들이 그들의 발 앞에 엎드려 그들을 "여호와의 성이요 이스라엘의 거룩한 이의 시온이라" 부를 것이다(사60:14). 예루살렘은 "여호와의 손의 아름다운 관, 하나님의 손의 왕관"이 될 것이다(사 62:3). 이것이 공의가 빛을 발하고 구원이 이 은혜의 도시로부터 번쩍 빛나는 것을 볼 때까지, 이사야가 침묵한 채로 있지 못한 이유다(사 60:1,2).

이사야 선지자와 함께 우리는 하나님을 아는 지식이 물이 바다 덮음 같이 이 땅을 덮을 때와 모든 이스라엘이 의로워지고 그 땅을 영원히 소유할 때를(사 11:9; 60:21) 열망한다.

예레미야와 함께 우리는 "그 날에 유다가 구원을 받겠고 예루살렘이 안전히 살 것"에 동의한다(렘 33:16).

우리는 기도한다. 그리고 우리는 기다린다. 우리는 그분[메시야]의 발이 "감람산 위에 서는" 것, 산이 "둘로 갈라지는" 것(지질학상 단층선이 있다), 그리고 주님이 "온 세상의 왕으로" 통치하시는 것을 기다린다(슥 14:4,5,9).

우리는 어린이가 그 예정된 삶의 주기를 온전히 살며, 이리가 어린 양과 함께 살고 송아지와 사자가 함께 누우며 "젖 먹는 아이가 독사의 구멍에서 장난하는" 때, 그리고 "그분의 모든 성산에서는" 해함도 없고 상함도 없을 때를(사 11:6-9; 65:20,25) 고대한다.

우리는 기도하고 우리는 기다리며, 그리고 우리는 소망한다.

"주께서 이스라엘 나라를 회복하심이 이때니이까?" 제자들이 예수님의 부활 후 승천하시기 전에 질문했다(행 1:6). "때와 시기는 아버지께서 자기의 권한에 두셨으니 너희가 알 바 아니요." 그분의 답변이셨다(1:7). 바꾸어 말하면 "너희들은 예언서를 정확히 읽어왔구나, 이스라엘 나라의 회복이 있을 것이야. 너희 생각이 틀림없어, 하지만 그 때는 너희가 알아야 할게 아니야"이다.

예수님은 모든 것이 회복될 그 때까지 하늘에 머무르셔야 한다. "하나님이 영원 전부터 거룩한 선지자들의 입을 통하여 말씀하신바 만물이 회복될 때까지는 하늘이 마땅히 그를 받아두리라"(행 3:21). 그러면 우리는 그 궁극적 성취를 기다리는 이 중간 시기에 어떻게 행해야 하는가? 이러한 21세기 초기의 날들 안에서 이 "한 새 사람"이 무엇을 보게 될 것인가?

우리는 1세기에 시작됐던 것으로 돌아가는 것을 본다. 이방인들이 그들의 유대인 유산에 대한 인식이 회복될 때, 유대인 신자들은 그 관습에서 유대인으로 남게 된다.

우리가 1세기 모델을 부활시킬 때, 점점 더 메시아닉 유대인 회당들은 일어날 것이다. 이방인들은 유대 백성들을 위한 사랑이 자라고 그들의 잃어버린 유대인 뿌리를 회복하면서 그러한 회중교회의 일원이 되기를 바랄 것이다. 성경을 날마다 읽는 이들도 "이스라엘"이라는 단어를 볼 때 "교회"로 대체하려는 생각을 자제할 것이며, 그 언약의 백성들을 위한 하나님의 긍휼의 마음과 세상의 구속에 대한 그들의 역할을 받아들일 것이다.

성서적 달력은 모든 열방의 구속 받은 자들이 메시아 안에서 성취된 그리고 성취되고 있는 하나님의 흔적을 보게 될 때, 매년 새로운 의미로 다가올 것이다. 이방인 신자들은 이 성서적 절기들을 통해 하나님을 선포하며 유대인 형제자매들에게 합류하는 것을 기뻐할 것이다. 그리고 그분이 명하신 관습들 안에서 아브라함, 이삭 그리고 야곱의 하나님을 향한 자신들의 사랑을 표현하려 할 것이다.

그와 동시에, **교회**의 마음은 예루살렘을 위한, 이스라엘을 위한, 그리고 도처의 모든 유대 백성들을 위한 사랑으로 돌아가기 시작할 것이다. 세계 도처의 선교 사역들은 로마인들에게 주는 바울의 경고 "먼저는-유대인-에게"를 기억하기 시작하며, 로마서를 강해방식으로 설교하는 목사들은, 9장-10장을 더 이상- 마치 그 구절들이 다른 탁월한 서신에 방해거리였던 것처럼- 무시하지 않을 것이다. 교회 성가대는 새로운 계시가 그들이 노래하고 있는 가사의 문자적 의미에 그들의 마음을 열 때, 크리스마스 특집 리허설을 하면서 울게 될 것이다:

O come, O come, Emmanuel, and ransom captive Israel!
Rejoice, rejoice, Emmanuel will come to you, O Israel![1]
곧 오소서 임마누엘 오 구하소서 이스라엘
기뻐하라 임마누엘 곧 오시리 이스라엘

노트

1. John Mason Neal, 'Psalteriolum Cantionum Catholicarum' 라틴 찬송의 가사, 1851

제12장

기도할 때

여호와를 부르는 자들아 너희는 쉬지 말며 또 여호와께서
예루살렘을 세워 세상에서 찬송을 받게 하시기까지
그로 쉬지 못하게 하시리라
이사야 62:6,7

때는 B.C. 522년, 그가 기억하는 한 거의 바벨론에서 살아
왔던 다니엘은 이제 한 사람의 노인이 되었다. 어느 날 예레미
야의 두루마리를 읽던 중 그는 그 선지자의 선명한 예견에 사
로잡혔다: 바벨론에서 70년이 차면 내가 너희를 돌보고 나의

선한 말을 너희에게 성취하여 이곳으로 돌아오게 하리라"(렘 29:10).

이것이 사실이구나, 다니엘은 느부갓네살의 통치 아래 바벨론으로 강제 송환된 후의 햇수를 헤아리면서 생각했다. 바사(페르시아)에 함락되기 전에 다섯 명의 다른 왕들이 바벨론을 통치했고 그 다음 고레스라는 이름의 새 왕이 페르시아의 왕좌에 올랐다.

고레스가 왕이 되었을 때 바벨론의 포로들 안에선 기대감이 고조되었다. 이사야는 고레스가 출생하기 거의 두 세기 전, 그가 포로들을 자유케 할 조소를 공포하고 그 성과 성전의 재건을 시작하리라고 예견하며 그 이름을 지명했다(사 44:28; 45:13). 이 일은 이사야가 예언했던 대로 정확히 일어났다. "바벨론 왕 고레스 원년에 고레스 왕이 조서를 내려 [하나님의 이전을] 다시 건축케 하고"(스 5:13).

그 성과 성전의 건축은 아주 왕성하게 시작됐지만 고레스 왕은 그 일이 마치기도 전에 죽었고 페르시아의 다음 왕은 이 이스라엘의 자손들을 그리 탐탁하게 여기지 않았다. 다니엘이 그 눈에 익은 말씀을 다시 읽었을 때는 다리우스 왕 통치 첫 해였다. "70년이 차면…" 그는 예레미야서를 읽으며 묵상에 잠겼다. "그래, 성전이 함락된 지 70년이 됐지, 그 꽉 찬 햇수가 아주 빠르게 다가오고 있어, 이제 그 만기가 된 거야. 'HaShem'('그 이름'의 히브리어)의 말씀은 결코 실수가 없으시지. 우리는 그 성취를 볼 때까지 계속 기도해야 해."

다니엘은 그 두루마리를 한쪽에 둔 채 기도하기 시작했다

"크시고 두려워할 주 하나님 주를 사랑하고 주의 계명을 지키
는 자를 위하여 언약을 지키시고 그에게 인자를 베푸시는 자
시여 우리는 이미 범죄하여 패역하며 행악하며 반역하여 주의
법도와 규례를 떠났사오며 우리가 또 주의 종 선지자들이 주
의 이름으로… 말씀한 것을 듣지 아니하였나이다.
주여 공의는 주께로 돌아가고 수욕은 우리 얼굴로 돌아옴이
오늘날과 같아서… 이는 우리가 주께 죄를 범하였음이니이다
(신실하지 못했기 때문입니다) 주여 수욕이 우리에게 돌아오
고 우리의 열왕과 우리의 방백과 열조에게 돌아온 것은 우리
가 주께 범죄하였음이니다마는…
그러하온즉 우리 하나님이여 지금 주의 종의 기도와 간구를 들
으시고 주를 위하여 주의 얼굴빛을 주의 황폐한 성소에 비추소
서… 주여 들으시고 행하소서! 지체치 마옵소서, 나의 하나님이
여 주 자신을 위하여 하시옵소서"(단 9:4-19).

다니엘은 무릎을 꿇고 기도하면서 그 어깨 위에 그 세대의
죄들을 감당하고 있었다. 그 땅과 유배된 자들. 유다로부터 그
리고 모든 이스라엘, 왕들과 고관들, 그는 사적인 책임은 없는
죄들- 그러나 그 비극적 결과들이 그의 삶에 새겨졌던 모든 죄
들을 고백했다.
다리우스 왕이 이것을 읽어봐야 해, 다니엘은 이같이 생각했
을 지도 모른다. 왕은 그의 할아버지 고레스가 이미 200년 전

이스라엘에게 은혜를 베풀 자로 그 이름이 지명됐다는 사실을 알 필요가 있어, 왕은 귀환에 관계된 예레미야의 예언을 꼭 읽어야 해.

이 장면은 상상이지만 그 사실들은 진실이다. 예레미야의 예언이 성취되기 시작한 것은 고레스 통치 원년의 일이었다(스 1:1). 그리고 성전의 재건을 마친 것은 다리우스 통치 6년 되던 해였다(6:15).

에스라와 느헤미야가 "다니엘의 기도"를 그들의 입술 위에 두고 예루살렘으로 돌아왔을 즈음에, 에스라는 하나님 앞에서 신음하며 중보 했다. "나의 하나님이여 내가 부끄러워 낯이 뜨뜻하여 감히 나의 하나님을 향하여 얼굴을 들지 못하오니 이는 우리 죄악이 많아 정수리에 넘치고 우리 허물이 커서 하늘에 미침이니이다 우리의 열조 때부터 오늘까지 우리 죄가 심하매…"(스: 9:6,7).

"이제 종이 주의 종 이스라엘 자손을 위하여 주야로 기도하오며 이스라엘 자손의 주 앞에 범죄함을 자복하오니… 주를 향하여 심히 악을 행하여…"(느 1:6,7), 느헤미야는 에스라 제사장의 기도와 함께 통곡했다.

하나님의 동반자들

그 시대를 해석하며 동시에 말씀들을 읽어가면서, 다니엘,

에스라 그리고 느헤미야는 그들의 날을 위한 하나님의 의도를 알게 됐다. 그들은 또한 그 예언의 성취를 가져오기 위해서 하나님과 파트너가 될 수 있다는 것도 깨달았다. 그래서 다니엘이 생각한 하나님과의 동반관계는 기도와 금식이 최우선이었다(단 9:2,3). 그 땅으로 돌아온 에스라와 느헤미야는 회개와 성전 재건축으로 백성들을 이끌었다.

우리는 이스라엘에 관한 하나님의 뜻의 부분적 성취를— 그들이 믿음으로 돌아오는 것과 세상의 부흥— 보아왔다. 우리의 역할도, 그 사역이 성취되는 것을 볼 때까지 우리 선조들과 통치자들의 죄를 고백하며, 중보를 위해 우리 자신을 드려야 한다.

오늘날 우리의 위치도 그 시대 다니엘의 것처럼 그와 동일하다. 우리는 이스라엘에 관한 하나님의 뜻의 부분적 성취를— 그들이 믿음으로 돌아오는 것과 세상의 부흥— 보아왔다. 다니엘처럼 우리의 역할도 그 사역이 성취되는 것을 볼 때까지 우리 선조들과 통치자들의 죄를 고백하며, 중보를 위해 우리 자신을 드려야 한다.

하나님은 그분의 사역 안에 그분과 함께 합류할 자들을 찾고 계신다. 에스겔에게 말씀하셨다. "이 땅을 위하여 성을 쌓으며 성 무너진 데를 막아서서 나로 멸하지 못하게 할 사람을 내가 그 가운데서 찾다가 얻지 못한 고로"(겔 22:30). 예수님도 제자들에게 말씀하셨다. "진실로 너희에게 이르노니 무엇이든지 너희가 땅에서 매면 하늘에서도 매일 것이요 무엇이든지 땅에서 풀면 하늘에서도 풀리리라 진실로 다시 너희에게 이르노니 너희 중에 두 사람이 땅에서 합심하여 무엇이든지 구하면 하늘에 계신 내 아버지께서 저희를 위하여 이루게 하시리라"(마 18:18,19).

사도 요한이 본 하늘의 이상에서 성도들의 기도를 담은 그 향로가 채워질 때까지 하나님의 사역은 이 땅 위에 풀어질 수 없었다(계 5:8; 8:3-5). 바울은 우리에게 하나님의 약속들이 모두 성취되리라고 확신시킨다. 그러나 "아멘"은 우리에 의해서 나와야 한다(고후 1:20).

묘하게도, 먼저, 하나님의 뜻을 알고 그 다음 그것이 이루어지기를 위해 우리가 기도할 때까지 효과가 발효되지 않는 그분의 계획들이 있다. 이것은 이사야가 "예루살렘이여… 너희는 쉬지 말며 또 여호와께서 예루살렘을 세워 세상에서 찬송을 받게 하시기까지 그로 쉬지 못하게 하시리라"(사 62:6,7)고 외친 말씀에서도 이해된다.

다니엘은 예레미야를 읽고 그가 읽었던 것의 성취를 볼 때까지 쉬지 않으려 했다. 에스라와 느헤미야도 그들 시대 안에 주님의 의도를 깨닫고 그것이 성취될 때까지 쉴 수 없었다.

나는 다니엘이다! 나는 에스라다! 나는 느헤미야다!

나는 돈 핀토다! 나는 나의 백성들의 죄를 보아왔다! 그것은 고백해야 할 나의 죄, 끊어버려야 할 내 죄다. 우리 모두를 위한 자비를 구하기 위해, 그 틈새에 서기 위해, 중보 하는 것은 나의 역할이다. 나는 우리 시대를 향한 그분의 의도를 조금이나마 이해하고 있기에 그 것이 발효될 때까지 침묵하지 않을 것이다.

나는 예레미야를 읽고, 이사야를 들어왔다. 호세아, 스가랴, 에스겔의 말씀들이 내 안에 고동친다. 나는 내 눈으로 주님이 말씀하신 것을 볼 때까지 쉴 수 없으며, 쉬지 않을 것이며, 쉬기를 원치도 않는다!

이것이 나와 그들, 유대인들과 이방인들이 함께 스페인을 여행하며 페르디난드와 이사벨라가 유대인들을 스페인에서 몰아내고 그들 재산을 몰수하려고 판결문에 서명했던 그 방에서 기도했던 이유다. 우리는 우리 백성들의 죄를 고백하기 원했고 그분의 보혈로 우리의 죄를 덮어달라고 간구했으며, 주님께서 우리들을 서로에게 회복시켜 주시길 기도했다.

이것이 우리가 스페인 토레도의 성당 벽에 걸린 쇠사슬들을 본 후 수치와 비탄에 잠겨 먼지를 뒤집어쓰고 함께 앉아 기도했던 이유다.

이것이 우리 이방인들이 니쓰의 황폐함을 방문했을 때 유대인 형제자매들을 위해서 환영의 피로연을 마련했던 이유다. 그 형제들은 초기의 공회에 초대 받지 못했었으며 우리는 그들의 상실과 배척에 몹시 마음이 아팠었다.

이것이 우리 중 유대인이 아닌 이들이 MJAA 연례모임과 UMJC에 참석하여 모든 회중들 앞에서 무릎 꿇고 우리 자신의 죄와 우리 이전 세대들의 죄를 고백했던 이유다. 우리는 유대인 가문을 사랑하고 그들과 함께 하길 원한다!

우리를 불쌍히 여기소서 주님! 우리의 마음을 변화시키시고, 오 주님 들으소서! 주님 용서해 주소서! 들으시고 행하소서! 당신의 이름을 위해서 오 나의 하나님, 지체치 마옵소서!

주님 우리의 날에 다니엘, 에스라, 느헤미야들을 일으키셔서 당신이 의도하신 것들을 보고 그 비전이 성취될 때까지 당신 앞에 머무를 자들을 주소서. 당신의 임재를 체험하고 당신의 백성들을 당신의 사역으로 안내하기 위해서 당신과 그리고 당신의 백성들과 언약할 룻과 라합들을 일으키소서.

시편 기자는 말했다. "예루살렘아 내가 너를 잊을진대 내 오른손이 그 재주를 잊을지로다 내가 예루살렘을 기억하지 아니하거나 내가 가장 즐거워하는 것보다 더 즐거워하지 아니할진대 내 혀가 내 입천장에 붙을지로다!"(137:5, 6).

제13장

마지막 출애굽

또 여러 형제가 어린양의 피와 자기의 증거하는 말을 인하여
저를 이기었으니 그들은 죽기까지 자기 생명을 아끼지 아니하였도다.
계시록 12:11

거의 400년 동안 이스라엘은 고센 땅에서 시달려 왔다. 이
타국 땅에서 그들이 구조될 것이라는 조상 야곱의 확신은 그저
막연한 꿈이었다. 그러던 어느 날 사건들이 발생하기 시작했
다. 출국이 임박했다는- 기적의 보고들- 시끄러운 소리들이

있었다. 이러한 소문은 바로의 마술사들 역시도 "술법"을 행했기 때문에 종종 혼동됐다. 그때 궁정의 마술사들조차도 흉내낼 수 없는 불가사의한 재앙들이 이어지고, 고센 땅의 신실한 하나님의 종들은 놀랍게도 그 재앙들로부터 보호 받는다. 몹시 화가 난 이집트 감독관들의 격노는 더 심해졌다.

마지막 재앙은 유월절 밤에 방출되었다. 문설주에 칠해진 어린 양의 피는 이스라엘의 장자들을 보호하기 위해 필요했던 순종의 신호였다. 그날 밤 바로의 집으로부터 들판의 가축에 이르기까지 죽음이 이집트를 지배했다. 비탄에 울부짖는 소리를 그 땅 천지에서 들을 수 있었다. 고센 땅에서 이스라엘 백성들은 피가 얼룩진 문 뒤로 조용히 물러나 있었다. 그 평강을 깨뜨릴만한 강아지 짖는 소리조차도 없었다(출 11:7).

그 갈망하던 순간이 도달했다. 한 밤중에 신호가 떨어졌고 이스라엘은 수세기에 걸친 그 노예생활로부터 해방되었다. 하나님은 그들을 고향으로 부르고 계셨다.

홍해를 건너야 하는- 최후의 장애물이 앞을 놓여 있었다. 시야에 들어온 관측에 따르면 패배는 불을 보듯 뻔했다. 그들 뒤를 재빨리 추격해 온 바로의 병거들에 의한 포위, 그들 앞에는 깊은 바다, 비상구는 없었다. 하지만 그날 하나님이 이스라엘을 위해 싸우셨다. 바닷물이 갈라지고 이백만 이스라엘 백성들이 이집트를 떠나는 동안 큰 불기둥이 그 갈 길을 비추었다.

오늘날 우리는 또 하나의 위대한 출애굽의 자리에 있다.

400년이 아니라, 예수아가 제자들에게 "내가 다시 와서 너희를 내게로 영접하여 나 있는 곳에 너희도 있게 하리라"(요 14:3)고 말씀하신지 2,000년이 지났다.

두 천 년 동안 메시아의 가문은 그분의 귀환을 기다리며 외국 땅에서 시달려왔다. 오늘날도 또 다른 출애굽이 임박하다는 시끄러운 소리들이 있다. 그분이 지명하신 신호들이- 그분의 귀환 전에 일어날 사건들- 나타나고 있다.

그날을 가리키는 세 가지 의미심장한 예견된 징조들이 가까이 있다. 열방으로부터 그들의 상속된 땅으로 이스라엘의 두 번째 출애굽이 진행되고 있다. 유대 백성들이 그들의 메시아를 인정하고 있다. 이 세상은 유일하신 참 하나님과 그분의 약속의 메시아 안에서 전무후무한 엄청난 부흥 가운데 있다. 하늘이 그분의 귀환을 환영할 날이 다가오고 있다. 누가와 스가랴는 그분이 감람산으로 돌아오실 것이라 말했다(슥14:4; 행 1:11). 요한과 이사야는 지상의 평화의 통치를 묘사했다(사 65:18-25; 계 20:1-6). 그 첫 번째 강림에서 예수님은 고난의 종이셨다. 이번에 그분은 승리의 왕으로 오실 것이다.

현대의 재앙들

출애굽과 주님의 귀환에 대한 커져가는 우리의 기대에도 불구하고 힘든 날들이 앞에 놓여 있다. 예수님은 예루살렘의 파괴를 둘러싼 불안한 시간들뿐만 아니라, 또한 그분의 도착에 앞선 지구촌의 수고의 고통도 말씀하셨다.

우리는 기적을 일으키는 거짓 메시아들과 선지자들의 확산을 보게 된다(막 13:22). 열방들 간에(ethnos, "이교도 그룹들") 전쟁과 적대 행위가 증가할 것이며(마 24:6,7) 기근과 지진이 배가될 것이다. 사악과 부도덕함이 세상의 부흥 그리고 배교행위들과 함께 포화상태에 이를 것이다(12-14). "이는 그 때에 큰 환난이 있겠음이라 창세로부터 지금까지 이런 환난이 없었고 후에도 없으리라"(21). 이러한 환난들이 구원 받기를 기다리는 교회 위에 내릴 것이다. 할 수만 있다면(감사할 것은 그 분을 바라보는 이들에게는 아니지만), 하나님의 백성들조차 속이려 들 것이다(24).

바울은 마지막 때의 바로 왕, 악이 인격화된- 사탄 자신의 사적 대리인- 안티-메시아가 출애굽 전 마지막 전투를 위해 하나님의 백성들을 대항해서 세상을 연합하리라고 말했다(살후 2:8-12). 다니엘은 성도들이 "잠시 동안 그들의 손에 붙인 바 될 것과(단 7:25), 오직 하나님께 신실한 자들만이 그들을 대항할 수 있다는 것을 보았다(단 11:32). 스가랴는 온 세상이 이스라엘(그리고 그들과 언약관계들)을 대항하려고 바로 군대와 함께 나올 그 때를 말한다. 그 순간 주님께서 이스라엘의 안전을 지키실 것이다(슥 12:3; 14:2,3).

"그렇지만 잠깐!" 당신은 이렇게 말할지도 모른다. "우리는 그때 전에 사라질 것이라 생각하는데요! 이 마지막 대 환란 전에 교회는 휴거 되어야 하는 것 아닌가요?"

사람들 중에는 그렇게 되리라 믿는 이들도 있고, 성서에 암시된 것들을 지적해가며 우리의 출발 전에 다가올 "재앙들"을 견뎌야 한다고 말하는 이들도 있다.

우리의 영어성경에 자주 "환란"(tribulation)으로 번역된 이 흥미로운 그리스 단어 *'thlipsis'*는 그 의미의 이해에 비중을 두고 있다. 이 단어는 또한 "고뇌(anguish), 재난(affliction), 고통(sufferings), 핍박(persecution), 곤경(trouble), 고난(hardship), 괴로움(distress), 압제(oppression)" 혹은 "중압감(pressure)과 스트레스(stress)"로도 번역될 수 있다. 50번씩이나 이 단어는 사도들의 글 속에서, 신자들에게 그들도 어려울 때에서 제외되지 않는다고 경고하며 자주 사용됐다.

예수님은 "환란(trouble)이나 박해로 인하여 넘어지지 않도록 조심하라"(마 13:21)고 경고하시며 실제로 "이 세상에서는 너희가 환란(trouble)을 당하나 담대하라 내가 세상을 이기었노라"(요 16:33)고 말씀하셨다.

바울은 하나님 나라에 들어가려면 많은 환란(hardship)을 겪어야(인내해야) 한다는 주제로 설명하며(행 14:22), "환란(affliction) 중에 참으라"고 격려했다(롬 12:12). 그것을 믿든 안 믿든 우리는 환란(sufferings) 중에도 즐거워해야 한다 (5:3).

예수님은 마지막 때를 설명하시며 사도들에게 인자의 징조가 하늘에서 보이겠고 큰 나팔소리(Shofar)가 울려 퍼지며 주님께서 "그날 환란(distress) 후에 즉시" 그의 택하신 자들을 사방에서 모을 것이라 말씀하셨다(마 24:29-31). 사도 요한은 모든 열방, 족속, 백성, 방언에서 아무도 능히 셀 수 없는 큰 무리가 보좌 앞에 서 있는 것을 그의 이상에서 보았다. "이는 **큰 환란(thlipsis: tribulation)에서 나오는 자들이다**"(계 7:14). 장로들 중에 하나가 요한에게 전했다. 그곳으로부터 나오기 전에 큰 환란 속에 있어야 하는 것이다.

내가 틀릴 수도 있다. 하지만 나는 방심하다가 잡히는 것보다, 오히려 최악의 상태에 준비되어서 구원 받고자 한다. 함께 생각해 보자. 만일 주님이 내게 충분한 힘을 허락하실 것이라면, 나는 그러한 모험의 시간들 중에 섬기기 위해서 여기 있기를 원한다.

고난 받을 준비가 되었는가?

우리 서방에서는 최근 몇 년간 우리의 믿음에 약간의 심각한 박해를 경험해 왔다. 세상에 그다지 흔한 경우는 아니나 날마다 잔혹한 행위와 순교의 보고들을 접한다. 인도에서는 한 경험 많은 선교사와 그의 두 아들이 예수의 복음전파에 저항하는 힌두 과격파들에 의해서 그의 차 안에 갇힌 채로 불에 타 죽었다.

수단의 크리스천 인구는 기독교 신앙을 근절시키기로 결정한 저항세력에 의해서 거의 다 몰살당해왔다.[1] 우간다는 이디

아민(Idi Amin)의 테러 통치 중에 자행된 희생자들의 숫자로부터 아직도 회생 중이다.[2] 이라크 북부의 한 형제는 가족의 명예를 "수호하고자" 하는 자신의 가족 중 한 명에게 살해당했다. 하지만 그와 동시에 수천수만의 새 신자들이 있다. 구세주의 복음을 전파하기 위해 자신들의 삶을 위험에 맡겨온 신실한 종들 때문이다.

메시아 귀환의 때가 가까워오면서 전쟁상태가 고조될 것이다. 바로 예수님이 무리들에게 비유 중 하나로 설명하셨듯이 추수 때까지 악과 정의가 함께 자라고 있다(마 13:30). 요한은 한 이상 중에 그 추수를 본다: 천사들이 의로운 자들을 상 주기 위해 모으며 악한 자들은 주님의 진노의 포도주 틀 안에 던져진다(계 14:14-20).

믿는 자들은 큰 환란을 겪게 될지도 모르지만 그들은 결코 하나님의 진노를 체험하지 않을 것이다. 우리는 우리 마음의 문설주에 믿음에 의해서 뿌려진 메시아의 보혈을 통해서 "다가올 진노"로부터 구원 받아왔다(롬 5:9; 살전 5:9).

큰 핍박의 때에는 주님이 다른 이들을 위해 고문과 사형 집행자의 손에 넘겨진 것 같이 많은 이들이 그들의 믿음 때문에 죽게 된다.

중국의 감옥에 갇혀 있던 한 자매는 기도하던 중 그녀의 손목에서 수갑이 풀어지는 것을 느꼈다– 베드로의 옥중 체험과 전혀 다르지 않다. 자전거를 탄 두 남자가 순찰차로 그들을 쫓고 있던 비밀경찰로부터 달아났다. 자전거를 탄 그들이 보이긴

보였지만 잡히지는 않았다. 홍해바다에서 바로의 좌절된 이스라엘 추격을 떠올리게 한다.[3] 공산주의 치하에서 에티오피아의 한 형제는 복음전파 때문에 무자비하게 맞았으나, 신약 초기의 바울처럼 그 다음날 완전히 치유돼서 걸어나갔다. 그 형제는 두 번씩이나 전기처형에 의한 사형집행 일정이 잡혀있었으나 두 번 다 그 신비스러운 전기고장이 그를 살려냈으며, 그러자 혼란에 빠진 사형집행자는 결국 그를 풀어주고 말았다.[4]

눈에 보이는 천군천사들이나 그 밖의 하늘 사자들은 큰 시련의 때에는 진기한 일이 아니다. 하나님은 매우 세심하게 그분의 양무리들을 지켜보신다. 핍박으로부터 구원 받는 이들도 있는 반면에 어떤 이들에게는 핍박 안에서 이길 힘이 주어지기도 한다.

민는 자들을 향한 습격은 인간의 손들을 통해서 오지만 그 계획들은 모두 그 출처를 사탄에 두고 있다. 거룩한 성령은 우리가 우리를 지켜주시는 하나님을- 이스라엘을 고센 땅에서 지켜주셨듯, 사자 굴속에서 다니엘을 지키셨듯이, 초기의 사도들이 투옥됐을 때 지켜주셨던 것처럼, 탈출이나 죽음에서 조차도- 신뢰하길 배우기 원하신다.

그분은 불타는 화로 안으로 던져지기 전 다니엘의 친구들이 보여 주었던 그 고집과 끈기를 우리도 갖기 원하신다. "만일 그럴 것이면… 우리가 섬기는 하나님이 우리를 극렬히 타는 풀무 가운데서 능히 건져내시겠고… 그리 아니하실지라도 왕이여

우리가 왕의 신들을 섬기지 아니하고… 절하지 아니할 줄을 아
옵소서"(단 3:17,18).

앞으로 언젠가 전 세계가 이스라엘을 대항해 설 것이다. 그 때
이 땅의 국적은 더 이상 중요치 않을 것이다. 중요하게 될 모든
것은 우리가 이스라엘과 함께 왕국의 동일한 시민으로 다시 태
어나는 것이다.

그렇다, 앞으로 언젠가 전 세계가 이스라엘을 대항해 설 것
이며 모든 나라들이 예루살렘을 적대함으로 모여 악한 통치자
에게 고개 숙일 것이다. 그날이 올 때 우리 믿는 자들은 하나님
의 언약의 백성들과 나란히 할 준비가 되어 있어야 한다. 그 시
점에서 이 땅의 국적─ 미국인, 아시아인, 아프리카인, 중동인
또는 어느 지역이든 그것은 더 이상 중요치 않을 것이다. 중요
하게 될 모든 것은, 우리가 이스라엘과 함께 왕국의 동일한 시
민으로 다시 태어나는 것이다.

"애굽" 안에서 우리의 체류를 마감하는 날들 동안에도 우리
의 초점은 한결같다. 우리는 다른 이들을 구조해야 하고 반드
시 문설주에 어린 양의 피를 바르고 집에 머물러 있어야 하며
순간적인 통보에도 즉시 나갈 준비가 되어 있어야 한다. 우리

의 영적인 옷들은 벨트로 잘 감았는지, 신발들은 우리 발에 잘 맞는지, 지팡이는 손에 들려졌는지 그리고 출발준비가 됐는지 확인해야만 한다(출 12:11).

부르심이 있게 되면 출애굽은 급격히 이루어질 것이다. "때가 되면 나 여호와가 속히 이루리라"(사 60:22). "순식간에 홀연히(눈 깜짝할 사이에)다…"(고전 15:51), 바울의 표현이다.

"내 사자를 보내리니 그가 내 앞에서 길을 예비할 것이요… 주가 홀연히"(말 3:1). 구름이 갈라지고 땅은 흔들리며, 천사들의 합창과 구속 받은 아담의 자손들이 돌아오시는 메시아를 환영할 것이다. 사도 요한에 따르면, 모든 전쟁들과 인간의 간사한 원수들의 마지막 패배를 끝낼 전쟁 전에, 그분의 평화의 통치가 천 년에 이를 것이다(계 20:6-11).

오직 그때 에덴동산이 회복될 것이며 하나님과 인간이- 구속자와 구속 받은 자- 영원한 기쁨 안에서 함께 거하듯 하늘과 땅이 일치할 것이다.

노트

1. 현재 우리 도시에 살고 있는 수단 청년의 개인적인 간증으로부터 인용.
2. 젊은 목사들을 위한 세미나 강의로 우간다를 여행하던 중에 테러통치의 실상을 옮김.
3. 이 간증은 중국 부흥의 스토리들을 담기 위해 중국 내의 지역들을 6개월 동안 자전거로 여행하던 한 중국청년의 기록에서 인용함.
4. Tadesa(한 에티오피아 형제), 작가와의 인터뷰, (April, 1999)

제14장

복의 근원이 되기 위해 축복받은

너를 축복하는 자에게는 내가 복을 내리고
너를 저주하는 자에게는 내가 저주하리니
창세기 12:3

1999년 4월 에티오피아를 방문하는 동안, 솔로몬과 시바 여왕의 아들 메넬릭의 225대 후손으로 1930년부터 1974년까지 즉위한 에티오피아의 마지막 황제- 하일레 셀라시 1세(Haile Selassie 1)의 궁전에서 섬겼던 한 남자와 잘 아는 사이가 됐다. 그가 전했던 말이다.

70년대 초 주변을 둘러싼 몇몇 아랍 국가들의 압박 아래 셀라시 1세는 이스라엘과 외교 관계를 단절해 버렸다. 그의 딸은 그 소식을 듣자마자 곧장 아버지에게 나아가 그가 취한 행동을 양심에 호소했다. 그녀는 아브라함의 집을 축복한 창세기 12장 3절을 언급하면서 아버지에게 간청했다. "나의 아버지 나의 왕이시여, 그리하면 우리 가족과 우리 백성들에게 재난을 가져오게 될 것입니다!"

그 뒤 몇 달 못 가서 1974년 9월 12일, 아프리카의 극히 사나운 독재자들 중 하나인 육군 중령 멘기스투 하일레 미리암이 에티오피아의 통제권을 장악했고, 그 후 하일리 셀라시 황제는 뒤에서 몰락을 조정했던 사람에 의해 곧 살해됐다. 그리고 이 사건은 거의 20년 동안의 유혈참사로 이어졌다.

하일레 셀라시의 딸이 옳았다. 누구든지 이스라엘을 범하는 자는 "[하나님의] 눈동자"를 범하는 것이다(슥 2:8).

애굽은 이스라엘의 역사에서 그 진리를 아주 일찌감치 발견했다. 앗수르와 바벨론- 하나님이 이스라엘의 불순종으로 그들을 징계하기 위해 사용된 후, 그럼에도 불구하고 그들의 잔혹한 폭정시대 이후, 곧 세계의 권력에서 잊혀진 상태로 가라앉아 버렸다. 스페인의 막강한 해군은 그들이 나라 안의 유대인들을 죽이고 추방하기 전까지 해상을 장악했다. 대영 제국의 해가 결코 지지 않는 시대가 있었다. 그것은 벨포어 선언의 약속을 어기기 전까지만이었다. 독일은 홀로코스트 대학살에 이어 둘로 나뉘어졌으며 시간은 그 스토리의 마지막 장을 아직 기록하지 않았다. 동 유럽의 공산주의 정권들은 하나님의 사랑하는 자녀들을 대항하여 대학살과 핍박을 자행한 몇 년 뒤에 붕괴돼 버렸다.

미국은 수백만의 유대 백성들이 그 땅 위에 피난처를 찾게 되면서 오랜 세월에 걸쳐 엄청난 축복과 번영의 길을 걸어왔다. 그러나 그것은 하나님이 재건하신 이 땅의 이스라엘 정부에게 등을 돌릴 때 더 이상 사실이 아닐 것이다. 몇몇 예언의 목소리는— 선지자 요엘이 경고한 대로 이스라엘의 땅을 나눈 (욜 3:1,2) 바로 그 일을 우리 대통령이 주장함으로 해서— 이미 우리나라에 심판을 가져왔다고 말하는 이들도 있다.

스가랴 선지자는 세상의 모든 나라들이 이 작은 나라를 대항해서 전쟁을 치를 그 때를 말했다(슥 14:2). 그리 오래 되지 않아 유엔 안전보장이사회는 불길한 조짐의 국가 편성을 이끌어 냈다. "정착촌"을— 성서적으로 약속의 땅의 심장부인 유대와 사마리아— 세우기 위해 이스라엘의 불신임을 묻는 그 투표는, 17명 투표에 3명이 반대했다. 오직 '미국과 미크로네시아' 만이 이스라엘과 함께 그것에 투표했다. 매우 위험한 정치 상태다.[1]

유대 백성을 사랑하는 법

"이 모두가 나와 무슨 상관이 있다는 거죠?" 당신은 이렇게 말할지도 모른다. "나는 유대인 회당을 불태워버린 십자군도 아니고, 내 가족 친지 어느 누구도(내가 아는 한) 유대인들을 가스실로 끌고 간 나치도 아니었으며 그리고 난 유대인들을 미워하지 않아요."

우리가 비록 사적으로는 유대인 형제자매들이 고통당한 그 수치들에 책임이 없을지 몰라도, 그 권리침해를 되돌리고 유대 백성을 적극적으로 축복할 수 있는 단계들이 있다.

✔ 주님께 우리 마음에 모든 반유대주의 흔적을 깨끗하게 해주시기를 구하라.

이것은 민족적인 농담, 험담, 빗대어 말하는 것을 포함한다. 일종의 "웃자고" 한 얘기, 냉소적 발언은 이 박해 받아온 가문에 차별을 더욱 부추길 뿐이다.

유대인들에 대한 증오는 편견의 세대들의 파편으로 우리 영혼 속 깊이 묻혀 있을지도 모른다. 내 자신이 조소하고 있다는 걸 알 때까지 의식조차 못할 수도 있다.

하나님이 이스라엘과 끝내지 않으셨고, 이스라엘이 메시아를 받아들여 예수님의 미래의 통치 안으로 안내될 운명이라면 교회가 이스라엘을 대신한 상속이 아니라 오히려 이스라엘과 함께하는 상속이라면— 내가 이 책을 통해 확인했듯— 그리고 우리가 그 반대로 믿어, 원래 유업을 받은 바로 그 백성들을 위하지도 않고 그들을 메시아의 신부로 포함하지 않은 채 유대인 성서와 이스라엘의 약속들을 우리만을 위해 사유한 것을 회개해야 한다면!

성령의 바람이 당신의 마음을 깨끗게 하도록 하라. 기억을 거슬러 올라가 이 제사장 나라를 향한 하나님의 마음을 듣자. 왜 세상의 증오가 그들에게 퍼부어져 왔는지를 깨달아 하나님의 사랑이 그들을 축복하기 위해 일어나게 하자.

일단 우리 마음이 깨끗게 되면 우리는 중보자가 될 수 있다. 참회의 기도와 회개로 다른 이들의 죄를 지고— 그 틈새에 선 자들로서 다니엘처럼 기도할 수 있다. "주여 수욕이 우리에게 돌아오고 우리의 열왕과 우리의 방백과 열조에게 돌아온 것은 우리가 주께 범죄하였음이니이다"(단 9:8).

세상의 뉴스 미디어들이 하나님의 일과 하나님의 백성들에게 편견이 있음을 인식하라.

오직 하나님을 쫓는 자들만이 역사, 정치 그리고 정부를 올바르게 평가할 수 있다. 인간 역사의 모든 것, 모든 시대사조는 그분의 시간대 안에서 이동하고 있다. 그러므로 우리는 탁월한 분별력으로 스스로에게 항상 이 같은 질문을 던지며 뉴스를 들어야 한다. "이러한 보고들 뒤편의 실제 배경은 무엇인가? 주님은 무엇을 하고 계신가? 여기서 나는 어떻게 기도해야 하는가? 그분은 내가 반응하기를 기대하고 계신가?"

유대 백성들을 긍정하고 그들을 사랑하고 축복하기 위한 길을 찾으라— 그들이 예수를 메시아로 인정해 왔든 아니든.

예수님은 모든 율법과 선지자를 이루는— 하나님을 사랑하고 서로 사랑하는 두 가지 계명을 말씀하셨다(마 22:34-40). 사랑은 능동적이지 수동적이 아니다. 예수님이 선한 사마리아인의 비유에서 우리에게 납득이 가도록 가르치셨듯이, 우리는 우리가 무시하는 사람을 사랑하지 못한다. 우리가 능동적으로 의롭지 않으면, 수동적으로 악하게 된다.

우리의 헌신은 유대 백성들이 예수아를 메시아로 수용하는 지, 그 여부에 묶여서는 안 된다. 전에도 그 길을 걸어가 보았지만 아무런 열매도 맺지 못했다. 우리는 여전히 그들에게 친구로, 형제로, 보호자로 헌신되어야 한다.

내 한 친구가 작년, 그 도시의 다섯 개 유대교 회당들 중 세 군데가 모독을 당했던 그날 밤 세크라멘토에 있었다. 난폭한 방화범에 의해서 백만 달러 이상의 손실을 입었다. 그 친구는 파괴된 그 회당들의 재건축을 위해 크리스천들이 뭉치자고 제안했다. "복음을 위한 또 하나의 실천입니다. 지금이야말로 행동으로 축복할 때 입니다."

바울은 그분의 백성들을 시기하게 만든 그 배경들을 말했다(롬 11:11). 우리의 헌신은 유대 백성들이 예수아를 메시아로 수용하는 지, 그 여부에 묶여서는 안 된다. 전에도 그 길을 걸어가 보았지만 아무런 열매도 맺지 못했다. 우리는 여전히 그들에게 친구로, 형제로, 보호자로 헌신되어야 한다. 그 밖의 어떤 행위도 사랑의 마음과는 어울리지 않는다.

미래의 위기를 위한 준비

1999년 크리스마스 아침 이스라엘 저명인사들 한 그룹이 국영 텔레비전에서 예수아에 대한 그들의 생각을 인터뷰하는 중이었다. 잘 알려진 정통파 학자 라비스키 교수는 예수아가 제 2차 세계 대전 동안 독일에 살았었다면 그도 가스실로 잡혀갔을 거라고 말했다.[2]

당신은 그분의 가문을 구하기 위해 삶에 위험을 감수하려 했었는가? 나는 또? 그 다음 나는 무엇을 할 것인가? 이것이 미래를 준비하는 우리 크리스천 스스로에게 물어야 할 그러한 질문들이다. 우리는 오스카 쉰들러(Oskar Schindler)와 코리 텐 붐처럼- 우리 세대에 "의로운 이방인들이" 되기를 원한다.

유대 백성들이 그들 조상 대대의 유산으로 돌아오도록 격려하고 지원하라

만일 "그 한 사람도 이방에 남기지 아니하리니"(겔 39:28)라는 에스겔의 말이 문자 그대로 취해지고- 우리가 추정하기에 성경이 분명 그와 다른 것을 말하는 것이 아니라면, 그 다음 우리는 이스라엘의 이주를 확인하기 위해 최선을 다할 필요가 있다.

1973년 스티브 리틀(Steve Lightle)은 자신의 사업을 포기하고 러시아 유대인 인구의 긴박한 유출에 대한 예언적 발언과 함께 유럽과 러시아 전역을 여행하기 시작했다. 1983년 그는 지속적인 준비를 격려하는 「Exodus II」를 썼다.[3] 톰 헤스 (Tom Hess)는 '열방을 위한 예루살렘 기도의 집'(Jerusalem House of Prayer for All Nations)를 설립하고, 발생하기 시작하는 예언적 성취 안에서 하나님과의 동반관계를 설명한 책 「Let My People Go」를 출판했다.[4] 헤스는 이렇게 썼다.

많은 유대 백성들이 이스라엘의 안전은 미국으로부터의 군사적, 재정적 지원에 있다고 믿어왔다. 유대 백성들은 지난날 미국의 지원이 여러 면에서 축복이었던 반면, 이스라엘의 미래 지원은 더 더욱 하나님 그분으로부터 온다는 것과, 바라건대 세계 도처의 이스라엘의 충성스러운 크리스천 시온주의 친구들로부터 올 것이라는 점에 유의할 필요가 있다.[5]

미국의 유대인들이 러시아의 유대인들을 위해서 모범을 보일 때다. 미국 안의 물질주의 우상으로부터 벗어나, 그들이 갖고 있는 어떠한 부(wealth)라도 이스라엘로 되돌려야 할 때다. 유대인들은 더 늦기 전에 바벨론의 딸로부터 벗어날 때다.[6]

유대 백성들은 알리야(Aliyah: 조국으로의 귀환)를 서둘러야 한다. 가야만 할 때까지 기다리지 말라. 갈등을 딛고 일어나 이스라엘로 향하라. 시온에서 기쁨과 환희로 노래하고 춤추며, 곧 오실 당신의 메시아 그리고 왕을 위해 길을 예비하라![7]

구스타브 쉘러(Gustav Scheller)는 수만의 유대 백성들이 동유럽으로부터 이스라엘로 이주하도록 원조해 온 '에벤에셀 비상 기금'(Ebenezer Emergency Fund)에 삶의 말년을 헌신했다. 그 이야기는 'Operation Exodus'로 불려졌다. 데이비드 & 엠마 루돌프(David and Emma Rudolph)는 동유럽인들뿐만 아니라 에티오피아 유대인들을 돕기 위해서 'Gateways Beyond'를 설립했다. 에티오피아인들은 유대인이라는 이유로 그들을 차별대우한다. 하지만 이스라엘은 그들 중 많은 이들이 정체성을 입증할 적합한 증거가 없기 때문에 그들을 받아들이지 않을 것이다.[8]

재정적으로 유대인들을 축복하라

우리는 이미 이방인을 위한 유대인 사도 바울이 유대인-이방인 쟁점을 어떻게 로마서에 반영했는지 보았다. 그는 서신의 끝 부분에서 그 점을 분명히 했다. "만일 이방인들이 그들의 신령한 것을 나눠 가졌으면 **육신의 것으로 그들을 섬기는 것이 마땅하니라**"(롬 15:27).

물론 우리는 이사야의 예견을 알고 있다. "이는 바다의 풍부가 네게로 돌아오며 열방의 재물이 네게로 옴이라"(사 60:5), 그리고 그들의 성문이 항상 열려 "이는 사람들이 네게로 열방의 재물을 가져오며"(60:11). 수백만 유대인 달러가 1897년 첫 시온주의자 컨퍼런스 이후 국가의 재건에 쏟아 부어지고 있다.

1948년 독립전쟁에 앞서, 한 황홀케 하는 기적과도 같은 이야기가 1969년부터 1974년의 이스라엘 수상 골다 메이어 (Golda Meir)와 관련되어 있다. 이스라엘의 사기는 떨어질 대로 떨어져 있었다. 그 해 5월 이스라엘이 국가로서의 지위를 선포했던 그 순간 반드시 있어야 할 전쟁에 필요한 탱크, 대포, 항공기를 준비할 돈이 없었다. 골다 메이어는 자신이 자금을 모으기 위해 미국을 여행하는 동안 데이비드 벤 구리온이 국가의 실권에 남아 있어야 한다고 주장했다. 이 허세 없는 직설적인 목수의 딸의 성공에 약간의 희망이 보였다.

골다는 그저 얇은 봄 드레스를 입고 거의 텅 빈 자신의 핸드백을 움켜잡은 채 아무 짐도 없이 이스라엘을 떠났다. 그녀는 아무런 연설일정도 잡지 않고 지갑의 10불만으로 뉴욕에 도착했다. 불과 며칠 후 그녀가 이스라엘로 돌아왔을 때 미국의 유대인 공동체는 이스라엘의 군대 장비를 위해 오천만 불을 기부했다.[9]

그 때 이후 이방인 공동체 역시- 특별히 예언서를 읽어왔던 크리스천들- 이스라엘의 원조자들이 되었다. 이스라엘이 1967년 6일 전쟁에서 예루살렘을 취한 후 미국과 여러 국가들은 그 새로운 수도에 그들의 대사관을 옮기길 거부했다. 그러나 세계 도처의 수십만 크리스천들이 그들 정부들의 결정에 동의하지 않음을 이스라엘에게 확신시키는 '예루살렘 국제 크리스천 사절단' (ICEJ)이 설립되었다. 수백만 달러의 지원이 그들과 그와 유사한 단체들의 노력을 통해서 이스라엘로 흘러들었다.

우리는 이해의 성장 안에서 우리의 "선한 일"이 기회 있는 대로 "특별히 믿음의 가정들에게" 해야 할 것을 확신한다(갈 6:10). 막대한 양의 돈이 열성적으로 이스라엘을 사랑하는 크리스천들에 의해서 그 땅의 메시아닉 신자들과 유대인 단체들에게 주어졌다. 바울의 강조는 항상 신자들에게 있었으며 특히 가난한 자들에게 유의했다(롬 15:26; 갈 2:10).

점점 더 많은 크리스천들이 바울의 권면을- 유대 백성들을 재정적으로 축복할 빚을 진- 이해하면서, 크리스천 개인들과 교회들, 초교파와 독립 선교단체들이 이스라엘과 유대 백성들, 특히 메시아닉 공동체들의 재정적 필요에 우선적 결정이 있기를 기대한다.

한 기존의 메시아닉 사역이 최근 텔 아비브 다운타운에 사역 센터로 사용될 역사적인 빌딩을 구입할 수 있는 수백만 달러의 기금을 받았다. 하이파 북부의 그 메시아닉 회중교회는 그들의 메시지를 싫어하는 자들에 의해 회당이 폭격을 당했었지만, 이제 먼저 불타버린 건물의 세 배나 되는 크기의 사역센터를 구입할 수 있었다. 더 크고 안전한 시설의 필요를 크리스천들에게 일깨우기 위해 방화범들이 하나님에게 사용된 격이 되었다! 예배가 드려지는 동안 자동차 타이어가 찢겨지는 등 적대 행위들이 있은 후, 더 많은 지원들이 그 동일한 회당에 흘러 들어왔다.

우리가 기금의 분배에 지혜로워야 하는 것은 절대로 필요한 일이다. 주님이 당신의 눈을 여시도록 구하라. 위대한 동기부여를 주지만 열매 없는 일들에 열중하기 보다는 어디에서 열매가 맺어지고 있는지 주시하라. 종이 위 칸에 이스라엘이나 예루살렘이 쓰여져 있는 편지지를 사용하는 것도 이 분야에서 사역하는 이들에게 용기를 줄 수 있다.

이 전투의 최전방에 있는 사람들의 사역을 나눌 기도후원 그룹을 조직하라

내시빌에서 우리는 세계의 많은 도시들에서처럼, 이스라엘과 유대 백성들을 위한 기도의 방패를 세워 그 땅에서와 디아스포라에서의 몇몇 주요 사역들과 연결했다. 우리는 메시아닉 유대인 지도자들을 우리 도시로 맞이하여 그들과 기도 파트너가 되었다. 그들의 필요는 우리의 필요가, 그들의 기쁨은 우리의 기쁨이, 그들의 슬픔은 우리의 슬픔이 되었다. 우리는 자주 이-메일을 주고받으며 서로의 짐을 효과적으로 나눌 수 있었다(갈 6:2). 우리는 사도 바울이 말했듯이 그분이 시작하신 일을 기대하는 하나님의 동역자들이다.

나는 이스라엘을 여러 번 다녀왔다. 처음에- 1967년 6일 전쟁 바로 전- 나는 예언서나 이스라엘을 향한 하나님의 목적에 아무런 지식도 없이, 그저 예수님이 걸으셨던 길들을 걷고 싶었다. 나는 이제 그 땅의 백성들을 축복할 목적으로 간다. 여행 동반자들에게 나는 이스라엘 사역단체 중 한 군데에 비행기 티켓 값의 십일조를 헌금하라고 권면한다. 각 사람에게 짐 가방

두 개를 가져가라고 말한다: 한 가방은 자신들을 위해, 다른 가방은 이스라엘의 어려운 사람들을 위한 창고에 헌물하기 위해서다.

나는 함께 간 형제자매들에게 그 백성들이 이스라엘의 메시아를 알게 되는 것을 보기 위해서 삶을 투자하고 있는, 그들 중 누구라도 친해지기 전에는 그 땅을 떠나지 말라고 권하기까지 한다. 나는 다른 크리스천들, 즉 애셔 인트레터(Asher Intrater)가 주님에 대해서 말할 때 그의 눈에서 빛나는 열정을 보기를, 에이탄 쉬스코프가 새 신자들을 가족으로 맞아들일 때 그의 얼굴의 기쁨을 바라보기를, 데이비드 & 미카엘라 라자루스(Divid & Michaela Lazarus)가 이제 막 예수아를 만난 이전 러시아 청년들을 두 팔로 감싸 안은 그 사랑의 넘침을 지켜보기를, 아브너 & 레이첼 보스키(Avner & Rachel Boskey), 이 기름 부으신 부부가 히브리 노래를 들려줄 때 그들의 거실에서 예배드리기를, 그분의 백성들을 위한 하나님의 미래 계획을 설명하는 르우벤 도론의 이스라엘 액센트를 듣게 되기를 기대한다.

주님은 당신에게 유대 백성을 축복하고 사랑할 다른 방법들을 주셨을 지도 모른다. 예수님은 니고데모에게 거듭나는 것은 성령의 바람/호흡에 의해서라고 말씀하셨다. 그 바람을 분별하고 그분의 호흡을 느끼기 위해 우리의 돛을 올려야 한다.

유대 백성들이 이제 오셨고 곧 돌아오실 그들의 메시아의 복음에 마음을 열면서 성령이 오늘날 이스라엘의 땅으로 불고 있으며 유대인들의 마음 안으로 새로운 삶의 호흡을 불어넣고 있다. 동시에 성령은 오직 유일하신 참 하나님 안에서 위대한 믿음의 부흥을 일으키며 열방 전역을 폭풍처럼 지나가고 있다.

당신이 그 마음속에 그와 동일한 성령이 살고 있는 믿음의 사람이라면, 그분께 듣고 그분이 인도하시는 대로 따르라.

오늘날 세계 도처의 많은 크리스천들 가운데 한 새로운 일이 일어나고 있다. 우리는 룻처럼- 이스라엘의 구속자를 믿게 된 비유대인으로서- 우리 자신을 본다. 우리는 기근으로부터 와서, 우리의 친족-구속자 보아스(예수아)의 집 안에서 떡을 찾았다.

우리는 이제 이스라엘을 회복하기 위해 제거될 필요가 있는 모압 방식들을 찾기 위해서 그 집을 거치기 시작한다. 우리는 보아스와 룻의 약속된 자손 예수아 뿐만 아니라 그분의 친족들에게도 새롭게 헌신하려 한다. 우리는 양자된 그 가문의 관습들을 다시 환영하려 한다.

우리는 과거 안에서 이 가문들이 핍박 받고 비방 받아온 것을 지켜보았다. 우리는 종종 우리의 믿음의 선조들의 손에 의해서 가해졌던 그들의 고통을, 우리 형제자매들과 함께 가슴 아파한다. 우리는 우리의 유대인 가문에게 말하려고 한다: "당신의 백성이 나의 백성이 되고 당신의 하나님이 나의 하나님이 되시리니"(룻 1:16). 우리들 중 많은 이들이 이러한 영들에 자극 받는다. 우리는 담대히 선포할- 어느 순간에 시험을 받을지도 모를- 준비가 되어 있다. 우리는 룻과 함께 말 할 준비가 되어 있다- 어머니가 죽으시는 곳에 나도 죽어 거기 장사될 것이라(1:17), 주께서 나와 함께 하시면, 늘 그리고 항상, 그 어느 것, 죽음조차도 당신과 나를 갈라놓을 수 없으리이다.

노트

1. 이 유엔 결의안은 1996년 첫 통과 후 1999년 재확정 되었다. '팔레스타인 지역의 이스라엘 정착은 예루살렘을 포함하며, 골란의 점유는 불법이며, 평화와 경제 그리고 지역개발에 장애가 된다. 1996년, 1999년 모두 이스라엘, 미국, 미크로네시아만이 그 결의안에 반대하였다. 이 상황은 유엔의 웹사이트에 올라 있다.

2. A Channel 1, 1995년 12월 히브리 방송의 프로그램 'Popolitika'의 인터뷰.

3. 다가올 출애굽을 준비하는 많은 이야기들은 Steve Lightle의 'Exodus II: Let My People Go'를 참조. (Hunter Books, 1983)

4. Tom Hess, *Let My People Go*: The Struggle of the Jewish People Return to Israel, 5th ed. (MorningStar Publications, 1997).

5. Ibid. p. 30.

6. Ibid. pp. 70, 75.

7. Ibid. p. 109.

8. Ebenezer Emergency Fund & Gateways Beyond ministries의 더 상세한 정보는 부록 C를 참조하라.

9. Larry Collins and Dominique Lapierre, *O Jerusalem! Day by Day and Minute by Minute:* The Historic Struggle for Jerusalem and the Birth of Israel. (Simon and Schuster, 1972), pp. 162-166.

Toward Jerusalem Council II

'Jerusalem Council II'는 **교회**의 1세기로부터 거슬러 올라가 유대인과 이방인 신자들 사이의 깨진 곳을 예수아 안에서 보수하고 치유하기 위해, 그리고 첫째로 겸손, 기도 그리고 회개를 통해서 실천하기 위한 하나의 비전이다.

누구?
이방인 크리스천 공동체와 메시아닉 유대인 공동체의 기도

대표자들. 이러한 대표들은 기도의 삶을 실천하는 다양한 공동체 안에서 세우는 자로서 지도자들이 되어야 한다.

무엇을?

'예루살렘 카운슬 II' 는 아래의 말씀에 근거한다:

사도행전 15장- 공회

사도행전 21:17-26- 메시아닉 유대인의 관점

로마서 11:29- 돌이킬 수 없는 이스라엘의 부르심

고린도 후서 5:18,19- 화목

에베소서 2:11-16- 한 새 사람

예루살렘 카운슬 II는 이방인 크리스천과 메시아닉 유대인 지도자들이 이러한 목표들을 촉진하기 위한 모임이다:

1. 초대교회에 의해서 특히 니케아 공의회 II의 포고령을 정점으로 시작된 유대인과 이방인 형제들 사이의 분열을 인지하여, 겸손, 회개, 기도 그리고 이방인 크리스천들과 메시아닉 유대인들의 중보 대표자들의 통해서 이러한 불화를 회복하고 치유하며, 이는 메시아닉 유대인 공동체들이 존속할 권리가 없다고 공포된 반-메시아닉 유대인 포고령의 철회와 폐지를 포함시킨다. 이러한 포고령들은 적어도 16세기 동안 메시아의 몸들 위에 떠돌아 다녔다.

2. 마음의 화목을 이루고, 그리고 모든 참 신자들이 우리의 화목의 실체가 된 새 사람으로 확인하도록 부르기 위해서 기도

한다. 참된 화목은 하나의 정체성을 희석시킨 결과가 아니라, 메시아의 보혈을 통해서 칸막이 벽들을 허물어 버리는 기적으로, 동일함을 증명할 수 있는 두 그룹들이 한 새 사람이 될 수 있는 것이다(엡 2).

3. 크리스천 신앙의 유대인 뿌리를 이해한다. 성경은 첫째로 유대인에 의해 쓰여진 본질적인 유대인 책이며, 세상이 축복받아야 할 하나님의 계시가 유대 민족에게 위임됐다. 예수님도 유대인이셨고 그분의 첫 번째 제자들과 사도들도 유대인이었다. 그들의 마음을 하나님께로 향하는 유대인들과 이방인들은 함께 "전에도 계셨고 이제도 계시고 장차 오실"-"어제나 오늘이나 영원토록 동일하신" 이스라엘의 주 하나님을 향하는 것이다. 우리의 믿음은 그 뿌리를 유대 민족 안에 두고 있다. 반유대주의는 모든 크리스천들에게 거부돼야 하는 가장 가증스러운 죄다.

4. 유대 백성들과 함께 메시아에 대한 복음을 나누기 위한 이방인 신자들의 참 희생과 사랑의 수고들을 인정한다. 우리는 메시아닉 유대인으로서 메시아의 몸 안에 남은, 죄스러운 태도와 행위, 교만, 오만, 두려움, 격리를 회개하기 위해 부름 받았다. 우리는 **교회**의 정직, 안정, 회복 그리고 복음의 진보를 위해서 기도해야 한다. 우리는 또한 사도들 시대 이후, 유대인 공동체에게 메시아 예수아 안의 믿음에서 멀어지도록 취해졌던 결정들을 거부하도록 부름 받았다.

5. 이방인 크리스천들이 예수 안에서 유대인 신자들을 적대

시한 **교회**의 죄를 인식하고 마음 아파할 수 있어야 한다: (1) 첫 언약을 폐기물처럼 다루고(메시아로서의 예수를 거부한 유대인으로 인해), (이방인)교회가 이스라엘과 이스라엘의 상속된 약속들을 대신한다고 간주하며, 따라서 로마서 11장 29절 "하나님의 은사와 부르심에는 후회하심이 없다"는 성서적 약속을 무시한 모든 형태의 "교체적" 가르침으로 인해 (2) 예수아 안의 유대인식 믿음의 표현을 거부하고 억압하며, 유대인 신자들이 그들의 유대인 정체성과 모든 유대인식 관습들을 포기하도록 요구한 모든 일들 (3) **교회** 분열의 씨앗이 예수아(예수) 안의 유대인 신자들 공동체의 절연과, 에베소서 2장의 "한 새 사람"의 거부에 의해 심겨졌다는 억측으로 인해.

6. 메시아닉 유대인 공동체의 정당성을 이해하고 인정한다:

A. 하나님이 이스라엘의 구원과 구속을 위해서, 다시 한 번 우리 유대인 형제들 가운데 위대한 일을 행하고 계신다.

B. 메시아에게 돌아오는 유대인들은 사도 시대의 유대인식 삶의 패턴에 일치하여 뚜렷하게 유대인식이 되는데 자유하게 격려한다.

C. 우리 이방인 형제들은 그 교리상과 윤리적인 정직성, 불변성, 그리고 메시아닉 유대인 공동체의 복음의 진보를 위해 긍정하고 기도하기 위해 함께한다. 이방인 형제들은 중보의 의무와 이스라엘의 구원을 위한 지원을 감당한다.

7. **교회**가 사도행전 15장의 그 일들과 동일한 선포를 확언하도록 기도하며, 그것에 의해, 예수를 쫓는 유대인들이 그들의 지속적인 유대인식 삶과 성서적 기준들의 배경 안에서 부르심이 인정받아야 한다.

예루살렘 카운슬 II의 더 상세한 정보는 우리의 공동 회장들에게 연락바란다:

Marty Waldman
Baruch HaShem Congregation
6304 Belt Line Road
Dallas, TX 75240

John Dawson
International Reconciliation Council
P.O. Box 278
Ventura, CA 93006

부록B

추천하는 도서

Bennett, Ramon. *When Day and Night Cease*: A Prophetic Study of World Event and How Prophecy Concerning Israel Affects the Nations, the Church and you. Jerusalem: Arm of Salvation Press, 1992.

Brown, Michael L. *Our Hands Are Stained with Blood:* The Tragic Story of the "Church" and the Jewish People. Shippensburg, PA: Destiny Image Publishers, 1992.

Cantor, Ron. *I Am Not Ashamed*. Gaithersburg, MD: Tikkun International, 1999.

Chernoff, Yohanna. *Born a Jew ⋯ Die a Jew:* The Story of Martin Chernoff, A Pioneer in Messianic Judaism. Hagerstown, MD: EBED Publications, 1996.

Collins, Larry and Dominique Lapierre, *O Jerusalem! Day by Day and Minute by Minute*: The HistoricStruggle for Jerusalem and the Birth of Israel. NY: Simon and Schuster, 1972.

Damkani, Jacob. *Why Me?* New Kensington, PA: Whitaker House, 1997

DolAn, David. *Israel at the Crossroads, Fifty Years and Counting*. Grand Rapids, MI: Fleming H. Revell, 1998.

Doron, Reuven. *One New Man*. Cedar Rapids, IA: Embrace Israel, 1996.

Flynn, Leslie B. *What the Church Owes the Jew*. Carlsbad, CA: Magnus Press, 1998.

Frydland, Rachmiel, *What the Rabbis Know About the Messiah*, A Study of Genealogy and Prophecy. Cincinnati, OH: Messianic Publishing Company, 1991.

Hess, Tom. *Let My People Go*: The struggle of the Jewish People to return to Israel, 5th ed. Charlotte, NC: MorningStar Publications, 1997.

_____. *The Watchmen*: Being Prepared and Preparing the Way for Messiah. Washington, DC: Progressive Vision International, 1998.

Hocken, Peter. *The Glory and the Shame*: Reflections on the 20th Century Outpouring of the Holy Spirit. Guildford, England: Eagle, 1994.

Juster, Dan. *The Irrevocable Calling*. Gaithersburg, MD: Tikkun Ministries, 1996.
_____. *Jewish Roots*. Shippensburg PA: Destiny Image Publishers, 1995.

_____. *One People, Many Tribes*: A Primer on Church

History from a Messianic Jewish Perspective. Clarence, NY: Kairos Publishers, 1999

_____. *Revelation*: The Passover Key. Shippensburg PA: Destiny Image Publishers, 1991.

Juster, Dan and Keith Intrader. *Israel, the Church and the Last Days*. Shippensburg, PA: Destiny Image Publishers, 1990.

Kjaer-Hansen, Kai. *Joseph Rabinowitz and the Messianic Movement*: The Herzl of Jewish Christianity. Grand Rapids, MI: Wm. B. Eerdmans, 1995.

Kjaer-Hansen, Kai, and Bodil F. Skjott, *Facts and Myths About the Messianic congregations in Israel*. Jerusalem: United Christian Council in Israel in cooperation with the Caspari Center for Biblical and Jewish Studies, 1999.

Levine, David. *In That Day*: how Jesus Is Revealing Himself to the Jewish People in These Last Days. Lake Mary, FL: Creation House, Strang Communications,

1998.

Lightle, Steve. *Exodus II*: Let My People Go. Kingwood. TX: Hunter Books, 1983.

Murray, Iain H. *The Puritan Hope*: Revival and the interpretation of prophecy. Carlisle, PA: The Banner of Truth Trust, 1998.

Otis, George, Jr. *The Last of the Giants*. Tarrytown, NY: Chosen Books, Fleming H. Revell, 1991.

Portnov, Dr. Anna, comp. *Awakening*: An Anthology of Articles, Essays, Biographies, and Quotations About Jews and Yeshua (Jesus). Baltimore, MD: Lederer Publications, 1992.

Pritz, Ray A. *Nazarene Jewish Christianity*: From the End of the New Testament Period Until Its Disappearance in the Fourth Century. 1998. Reprint, Jerusalem: The Magnus Press, Hebrew University, 1992.

Rosen, Ruth. *Jewish Doctors Meet the Great Physician*. San Francisco: Purple Pomegranate Productions, 1998.

_____. *Testimonies of Jews Who Believe in Jesus*. San Francisco: Purple Pomegranate Productions, 1992.

Roth, Sid. *There Must Be Something More*: The Spiritual Rebirth of a Jew. Brunswick, GA: MV Press, 1994.

_____. *They Thought for Themselves*. Brunswick, GA: MV Press, 1996.

Scheller, Gustav, *Operation Exodus*: Prophecy Being Fulfilled. Kent, England: Sovereign World Limited, 1998.

Schiffman, Michael. *Return of the Remnant*: The Rebirth of Messianic Judaism. Baltimore, MD: Lederer Messianic Publishers, 1992.

Stern, David H. *Messianic Jewish Manifesto*. Clarksville, MD: Jewish New Testament Publications, 1998.

_____. *Complete Jewish Bible:* An English Version of the Tanakh (Old Testament) and B' rit Hadashah(New Testament). Clarksville, MD: Jewish New Testament Publications, 1998.

_____. *Restoring the Jewishness* of the Gospel. Jerusalem: Jewish New Testament Publications, 1998.

Telchin, Stan. *Betrayed.* Old Tappen, NJ: Chosen Books, Fleming H. Revell, 1981.

Teplinsky, Sandra. *Out of the Darkness:* The Untold Story of Jewish Revival in the Former Soviet Union. Jacksonville Beach, FL: Hear O Israel Publishing, 1998.

Urbach, Eliezer. *Out of the Fury:* The Incredible Odyssey of Elizer Urbach. Charlotte, NC: Chosen People Ministries, 1987.

Wilson, Marvin R. *Our Father Abraham* : Jewish Roots of the Christian Faith. 1989. Reprint, Grand Rapids, MI: William B. Eerdmans. 1994.

부록C

메시아닉 유대인 운동들과 회중교회들

메시아닉 유대인 공동체와 회중교회에 관한 더 자세한 정보들
을 위한 연락처:

Tikkun (Restoration)
P.O. Box 2997
Gaithersburg, MD 20886

Hear O Israel Ministries

P.O. Box 30990
Phoenix, AZ 85046-0990

Messianic Jewish Alliance of America (MJAA)
P.O. Box 274
Springfield, PA 19064

Union of Messianic Jewish Congregations (UMJC)
P.O. Box 11113
Burke, VA 22009-1113

이 책에 언급된 이스라엘과 디아스포라의 사역 연락처:

Asher Intrater
P.O. Box 485
Beit Shemesh
ISRAEL
Fax: (011-972-671-0279)
www.revive-israel.org

Eitan Shishkoff
Tents of Mercy (Ohalei Rachamim)
P.O. Box 1018

Kiryat Yam 29109
ISRAEL
Tel: 972-4-877-7921
E-mail: ohalei@netvision.net.il

Gateways Beyond
P.O. Box 1131
Colonial Heights, VA 23834
Tel/Fax: (804)526-6296
E-mail: gatewaysbeyond@juno.com

Gateways Beyond, Cyprus
P.O. Box 54516, CY 3733
Limassol, Cyprus
Tel: (357) 543-4560
Fax: (357) 543-2090
E-mail: gatewaysbeyond@cylink.com.cy

Ebenezer Emergency Fund
P.O. Box 271653
Fort Collins, CO 80527

www.tikkunministries.org

For a Jewish Ministry Training program or ways to
bless and serve the Jewish
   people, contact the YWAM Jewish World Office at
www.YWAMVA.org or call
   (804)236-8898

개인적으로 연락하셔도 됩니다:

The Caleb Company
Don Finto
68 Music Square East
Nashville, TN 37203
www.calebcompany.com

회개의 성명서

미국과 그리고 세상의 열방들 안의 유대 백성들에게

아브라함, 이삭 그리고 야곱의 하나님 안에서 우리의 공통된 믿음을 나누는 유대인 공동체의 훌륭하신 여러분,

전능하신 분에 의해서 움직여진다고 여겨지는 무엇인가가 우리 세대 안에 일어나고 있습니다. 민족적 배경과 국가의 기원이 저마다 틀린 사람들이 화목과 평화를 위해서 서로를 적대한 지난 세대들의 죄를 인정하고 있습니다. 이전 노예 상인들

의 아들딸들이 그들의 조상들의 죄를 자신들의 책임으로 떠맡아, 그 죄를 이전 노예들의 아들딸들에게 고백하고 있습니다. 십자군의 죄들과 약탈을 고백하고 있는 한 크리스천 그룹에 의해서 유럽과 예루살렘 사이에 최근 "화목 행진"(Reconciliation Walk)이 일어났음을 아실 것입니다.

우리는 오랜 세기에 걸쳐서 유대 백성들이 가장 심한 차별과 최악의 핍박 그리고 가장 야만적인 모든 잔악 행위들을 겪어 왔다는 것을 알고 있습니다. 우리는 또한 이러한 일들의 거의가 크리스천들에 의해서 또는 때때로 그리스도의 이름을 찾으며, 스스로를 크리스천이라고 부르던 사람들에 의해서 자행되어 왔다는 것 또한 자각하고 있습니다.

이것은 우리의 하늘 아버지를 사랑하고 예배하며, 우리의 이웃을 자신과 같이 사랑하도록 우리를 부르신, 평강의 왕으로 불리시는 그분에 대한 하나의 기괴한 허위진술입니다.

우리가 신약이라고 말하는 성서가 우리에게 당신들을 사랑하고 존경하고, 그리고 자비를 실천하도록 훈계했음에도 불구하고, 지난 날 하나님의 백성들과 오늘날 하나님이 택하신 백성들, 크리스천 믿음 안에서 우리와 우리의 조상들이 그 명령을 거슬러 배반하고, 두려움, 편견, 미움과 시기들을 행해 왔습니다. 그렇게 행하지 않은 사람들도 십자군, 학살 그리고 마침내 그 공포의 홀로코스트의 시기 중에 침묵으로 묵인해 왔습니다.

미국 내의 우리 크리스천 신자들도 그 범죄 행위 안에서 우리의 몫에 무관하지 않습니다. 우리 가운데 많은 이들이 그러한 범죄의 가해자들의 후손일 뿐만 아니라, 유럽의 공포의 통치 세월 속에서 유대인 난민들이 우리의 육지로부터 되돌려질 때 우리 선조들은 아무런 조치도 취하지 않고 그냥 보고 있었습니다. 우리 조상들은 유럽의 유대인 공동체들이 죽음의 궁지에 몰렸을 때도 그들의 눈을 돌렸습니다. 근래에 들어와서 조차, 크리스천 공동체의 어떤 이들은 회당들이 불에 타고, 묘지가 파헤쳐지고, 유대인 가정과 회사가 파괴되는데도 냉담한 채 서 있었습니다.

우리는 여러분들, 우리의 유대인 형제자매들을 적대한 이러한 범죄들을 슬퍼하고 마음 아파하며, 그 이전 세대의 죄를 고백했던 다니엘의 영 안에서 이러한 공포들을 죄로서 고백하며, 그것들을 끊어버립니다. 우리는 선지자 스가랴의 글로부터 모든 세상이 이스라엘을 적대하여 일어설 때가 머지않아 온다는 것을 알고 있습니다. 그러한 일이 일어난다 해도, 우리 중 많은 이들은 오랜 세기에 걸쳐 유대인들을 보호하기 위하여 위험을 무릅쓰고 자신들의 삶을 바친 그러한 이방인 크리스천들과 함께할 것입니다. 어떠한 대가를 치르더라도 하나님의 강하신 능력 안에서 여러분들과 함께 설 수 있도록 헌신합니다.

Used by permission of Generals of Intercession, P.O.
Box 49788, Colorado Springs, CO 80949; fax: 719-535-
0884; website: www.generals.org